JN220168

契情我立杣

けいせいわがたつそま

義太夫節浄瑠璃未翻刻作品集成 74

義太夫節正本刊行会 編

玉川大学出版部

表紙図版　義太夫節浄瑠璃全盛期の竹本座と豊竹座
（早稲田大学演劇博物館蔵『竹豊故事』より）

刊行にあたって

浄瑠璃が板本として出版され始めてから、ほぼ四百年の時が経つ。その間に刊行された作品は千数百点にも達するであろう。わが国の代表的劇作家近松門左衛門の極く初期の作品を以て、古浄瑠璃と当流（新）浄瑠璃とに二分するのが浄瑠璃史の定説であるが、古浄瑠璃時代の作品（約五百点）は全てといってよいほど活字化されている。当流浄瑠璃となると、近松を初め、紀海音、錦文流、西沢一風、福内鬼外、菅専助の六作者に関してはそれぞれ全集が刊行されているが、それ以外の作者のものは文学全集等に収められた名作と称されるものに限られている。活字化された作品が極めて少ないのが現状である。

近代になると明治維新以前の書物が活字化されることとなる。この潮流の中に浄瑠璃名作も含まれ、その数は少なくない。だが名作の重複といわざるをえない。

近世芸能の浄瑠璃は近代になっても文楽の名のもと、舞台の芸能として隆盛を続けた。大阪という一都市に限らず、全国に文楽人口は充ち満ちていたといっても過言ではない。文楽を支える人口の相当数は浄瑠璃を習得する人口とも合致した。文楽は太夫、三味線、人形の三業によって成り立つ芸能であるが、太夫と三味線だけで浄瑠璃を聞かせること、今でいう素浄瑠璃でも十分満足できる。玄人は素浄瑠璃の会を開催する。素人もまた己の芸を披露することを試みる。これは浄瑠璃が音曲として勝れた表現技法を会得していることによるが、さらにいえば語られる内容が聴く者の心を揺り動かすためである。言葉を替えていえば文学としての鑑賞にも十分耐え得る内容を浄瑠璃が備えているということであろう。

浄瑠璃が語られ始めてさほど時を経ぬ時代から、文学として享受された記録は、全国各地に拾うことが出来る。何故か。手短にいおう。浄瑠璃は近世庶民の倫理観、人生観を構築していく上で必読書であった。それ故に近代の出版物に多く含まれたのである。

近世から近代まで、わが国の一般庶民に愛好された浄瑠璃、そこで展開された思想は、血肉となって伝えられたといってもよい。現代は如何であろうか。断絶があるという外はない。理由は浄瑠璃との接触の機が非常に薄くなったためである。この不幸な状況を打破すべく、私どもは義太夫節正本刊行会を平成十年に組織して活動を始めた。未翻刻作品を世に送り出し、あわせて戦前に翻刻があるものの手に入りにくく、今や未翻刻と同様の作品も対象とすることとした。

先に述べた古浄瑠璃の作品や浄瑠璃作者の全集は学術出版の形をとったが、ここに提供する「集成」は、誰もが一度は手にとらねばならなかった小・中学校の教科書を意識した造本にした。近代日本における個性あふれる教育機関として知られる玉川大学の出版部において、この「集成」が世に出ることも、何かの巡り合わせではなかろうか。このことは会員一同の喜びでもあり、今は読者の一人でも多からんことを祈る気持ちである。

右は第一期刊行時の趣意に多少の手を加えたもので、今も当初の意識を持続している。

第二期に至り賛同した数人の若い研究者の参加を得、第三期以降は更に賛同者を増加した。刊行会の発展の上でも心強く、学問の継承の上でも、大変喜ばしいことである。

＊

ここまでが、第七期の刊行決定直後に、ご他界なさった鳥越文蔵先生のご執筆によるものである。

今回も、「集成」の続刊を準備する間に、日本学術振興会から令和四年度・五年度科学研究費補助金及び令和六年度学術研究助成基金助成金の交付を受け、浄瑠璃正本の調査、デジタル・アーカイブ拡充に向けてのデータ作成を進めることができた。さらに日本学術振興会令和六年度科学研究費補助金研究成果公開促進費の助成にも恵まれたので、引き続き玉川大学出版部により「義太夫節浄瑠璃未翻刻作品集成」第八期として、十一作を刊行する運びとなった次第である。

なお、第八期の原稿作成最中の令和四年に、正本刊行会において長くご指導くださった内山美樹子先生が逝去された。先生からは「集成」の収載作品として、戦後数十年間に刊行された文学全集等に収載された作品も近年では入手しにくくなってきたことを鑑み、それらに収載された翻刻作品も改めて取り上げるべきとの方針をお示しいただいた。本研究会はその方針にのっとり、今期以降作品を選定していくこととした。

終わりにこの「集成」刊行にあたって底本を提供してくださった、大倉集古館、国立劇場、松竹大谷図書館、天理大学附属天理図書館、東京都立中央図書館加賀文庫、文楽協会豊竹山城少掾文庫、早稲田大学演劇博物館、諸本の閲覧を許された所蔵者・機関各位に篤く御礼を申し上げる。

令和六年　六月

義太夫節正本刊行会

目次

凡　例

一、底本　出来得る限り初板初摺の七行本を用いた。

一、作品名　内題によった。

一、校訂方針　底本を忠実に翻刻することを原則としたが、次のような校訂を施した。

1　丁付　丁移りの箇所は本文中に「（　）」を施し、その中に実丁数を洋数字で示し、表「オ」、裏「ウ」の略号を付した。

2　文字　①平仮名、片仮名とも現行の字体を用いた。

②常用漢字表、人名漢字表に収録されているものはその字体を使用することを原則とした。ただし、一部底本の表記に従って複数の字体を使用したものもある。

（例）回／廻　食／喰　杯／盃　竜／龍　涙／涕　婿／壻／聟

③特殊な略体・草体・合字などは表記を改めた。

（例）→様　→部（ただし夕→夕べ）　→候　→郎

→参らせ候　→給　→也　→こと　→こゑ

↓より　↓かしく　↓まゐる　↓さま

④踊字は、原則として平仮名は「ゝ」、片仮名は「ヽ」、漢字「々」に統一した。ただし「〱」は底本のままとした。

⑤仮名遣い、清濁、誤字、衍字は底本のとおりとした。

⑥＊は原本の「ママ」の意であるが、極力付さないこととした。

3　譜　墨譜は全て省略したが、文字譜は全て採用し、本文行の右、または振り仮名の右の適切と思われる位置に付した。

4　太夫　語る太夫を指定した略号は、それを「□」で囲い、文字譜の位置に付した。

5　句点　「。」で統一した。

6　破損　底本が破損などにより判読不能の場合は、同板の他本により補ったが、一々断ることはしなかった。

7　改行　本文は曲節等を配慮して適宜改行した。

一、解題　底本の書誌、番付・絵尽の有無（『義太夫年表　近世篇』に依拠）、初演年・劇場、主要登場人物、梗概で構成し、補記として校異本に触れることもある。

契情我立杣

木曽麻衣
花洛模様

契情我立杣

序
有為生死の巷　来つて去事速。老少以て前後不同。夢幻泡影唯是槿花一日の栄。時に人皇八十一代安徳天皇。寿永二年の初嵐　ヲロシ　世を吹かへす。秋なれや。

地中
木曽ノ冠者義仲信州に義兵を起し。となみくりから篠原の軍にうち勝。山門の大衆是に与力し天台山に砦を構へ。中　都を一トのみの龍蛇の勢ひ（1オ）。平家の一門たまりゐず後白川の上皇。安徳天皇をもり奉り。西国へおもむかんと評義。とり〴〵成所に。

上皇御所を忍び〳〵。前ノ関白基房(もと)公猫間(ねこま)ノ中納言光高計御供にて。比叡山に行幸(みゆき)有円融坊(ゑんゆうばう)に入せ給へば。義仲を始メ三千の衆徒(しゆと)。かつがうのかうべにけさを鉢巻し衣の袖の玉扶(たまだすき)誦経(じゆきやう)の鉦(どら)も鐃鈸(にやうはち)も。陳所の用心かけ引に打違へたる世のことわざ誠に出家侍とはか丶ることこそ云べけれ。

折節鎌倉より（1ウ）右兵衛佐頼朝の使として。石田兵衛久国御階のもとにかうべをかたむけ。聖代安全(せいたいあんせん)のけいがを奏し。なかんづく頼朝。上皇の勅(ちよく)を蒙(かうむ)り蛭が小島に義兵をおこし。山木の判官を夜軍に打勝。石橋山にて大場と戦ひ。東八ケ国の大小名こと〴〵くなびき随ひ。其勢うんかのごとくといへども。京都へせめ上らざる其心は。主上安徳天皇は平家かしづき申といへ共。正しく上皇の御孫君。頼朝討ッて上ると聞ば平家天皇（2オ）をくぶし。三種の神祇(じんぎ)もろ共に外国(ぐわいこく)へうつし奉り。万一三種の御宝一ト色にても紛失(ふんしつ)せば。末代日本王法のおとろへ天下の嘆きをおもんはかり。わざとかまくらにゐをたくましう聞おぢさせ。一トむしむし立る程ならば一門心々にならんは治定。其時ひそかに手だてをもつて。三種の神祇と天皇を。平家の手よりうばひ取其後一門みなごろし。まつたき勝をとらん為かろ〴〵敷ぐんぜいをうごかさず。然るに木曽の義仲（2ウ）其思慮もなく。北陸道をせめ上り一日も頼朝より先に平家を亡さんと仕る条其軍慮のたらざる所。却て亢龍のくひ恐れ有。義仲いか程すゝむ共。上皇の御気色をもつて急度制しとゞめさせ給ひ。平家の一門都を逃出ざるやう。且は朝家の御為成べし。ついては頼朝関東にゐをふるふといへ共。其身武将にそなはらざれば諸士の成敗心に任せず。恐れ有奏聞ながら暫く征夷将 軍の職を申預り。四海（3オ）の逆徒を切しづめ。天下太平の功をとげたくかりの願ひ。此旨伝奏乞願ひ奉ると憚り。入てぞ奏しける。

御気色によつて猫間中納言光高卿御階近く出させ給ひ。奏する趣ゐいぶんに達し。征夷将軍拝任の願ひなんぞかりに任ずべき。吉日をゑらみ左史生中原の泰定。御使として院宣を給はるべし。石田は此所にとゞまり御所をしゆごし奉れ。猶恩賞は功によるべし。先々六位の従下にふすべき院宣也（3ウ）とのべ給へば。石田は老の身に余(あま)る悦びの色面に顕(あら)はれ。ハア有がたや忝や。か丶る御使に参らすんば。六十有余(ゆうよ)の某いかで位(くらゐ)にふせらるべき。死後(しご)の面目生前(めんぼくしやうせん)のほんぐわい。石田二郎為久と中倅かまくらに有。それか身のうへ家門のほまれ何事か是に過(すぐ)べきと。かうべを土にうつまぬ計手を合てぞ悦びける。

角とや伝へ聞たりけん。木曽のくわんじや義仲せいたる面色(めんしよく)。ひおどし（4オ）の鎧(よろひ)ひた丶れまつ黒に成ッて参内し。鎌倉よりの口上院の御返答承る。何条義仲が京入ぐん慮うすしとな。シヤ頼朝がゐばからひしやらくさし。東国武士は八幡殿此かた代々源氏の被官(ひくわん)と成。古(いにし)へをしたふ心より。人々頼朝が幕下(ばつか)に付それを儕(をのれ)が高名らしく。征夷将軍に任(にん)ぜんとは。此義仲が小ゆび一本の手がらでもなく。何のあたひ腹(はら)筋(すじ)千万。頼朝を将軍に召る丶か。但し義仲（4ウ）を任ぜらる丶か。サア法皇殿ぬけ殿。二つ一つの返答聞んと御階につめかけつば打ならし。殿上迄も切こまんずつら魂(たましい)。石田こらへず膝(ひざ)立なをし。ヤアくわんたい也義仲殿。藤川の戦(たゝかひ)に頼朝卿の武勇(ぶゆう)に恐れ。水鳥の羽音をよせてと聞なした丶かはずしてにげ上り。億病神のさめざる平家の勢。少々打とつたりとておこがましく。御へん将軍の職を望まば。頼朝卿は関白を望ふか。されば剣を振一人（5オ）にてきたふは武者のゆう。謀をいばくの内にめぐらし。居ながら六十余州を治る。頼朝卿と一口に将軍の願ひ。挑灯につりがね掛合ず。義仲殿とやりこむればぐつとせき。ヤアうぬめと論は跡の事。サア。義仲を将軍にするかせぬかたつた今返答次第。義仲が打物王の首に立か立ぬか末世の手本。是みすの内でうぢ〳〵せまい。爰へ出て埒明た王殿と。荒木を切ッてなげ出したる。詞（5ウ）はふし木のきそなまり。

御使は此石田兵衛。頼朝が願ひを指置。義仲に将軍職を給はるか。今一応と院宣の底をおしたる坂東声。イヤサ。朝敵を亡したる軍功は義仲。頼朝が願ひ叶はぬ事。いき筋はるなかへれ〳〵。イヤ及ぬとはわとのがこと。帰れとて帰りそふな石田がつらかとつくと御覧ぜ。ヲ、見た。くわんおけに諸足ふんごみ。ゐんまのてうへ帰りそふなつらと見た。何（6オ）此石田がや。ヲ、たつた今是見よと。飛か丶つてひつふ

せどうどまたがるひまんのからだ。気ははたらけ共老人の無念。〱と歯(は)ぐきくひしめ手足計をうごきも
立ず首。ゑいやつと引ぬきしはじゆくしをもぐより安かりけり。
松殿基房(もとふさ)公声をかけ。ヤア無礼也義仲しづまれ〱。凡(をよそ)将軍の職はとしきみより外のけんをつかさどり。
鹿島香取(かしまかとり)の御神より始(はじま)り古へ今に至るまで。其（6ウ）人にあらざれば任ずることあたはず。されば義仲
頼朝二人の功勝劣(こうしやうれつ)なし。猶此上にいづれ成共。安徳天王三種の神祇ことゆへなく。上皇の御手に移(うつ)し入
奉らば。其時日本ン武士の司(つかさ)。征夷将軍に任ぜられん心へたるかと有ければ。ヤア其詞おそし〱。鎌倉
の使は頼朝同前。義仲に首ひんぬかれよいはとて済(すま)ふか。此後は頼朝にもてきたい一本ン立の義仲。天子
を（7オ）天子と思はねば将軍は扨置。転輪聖王(てんりんぜうわう)にも勝手(かつて)次第。上皇も公家(くげ)ばらも此世の逼当今少。何成
共望みのもの打喰(くら)ひ。命の名残おしまれよと両眼(がん)くはつといからし。堂上(とうしやう)堂下(とうか)ねめまはし。あたりをは
らつて退出(たいしゆつ)すめとめを見合す計にて。一言ンかへす人もなく暫(しば)し光りを。失ひし。天上の日蝕(しよく)月蝕は月日

の神の御くるしみ。はかりしられぬ雲のうへ恐れ。ながらも　余り有（7ウ）。

然るに平家世をとつて廿余年。誠に一昔過るは夢よ。人心。さしも頼み奉りし。上皇平家をふり捨給ひ天台山にりんくはう有。木曽義仲十郎行家。三千の衆徒をかりもよほし帝都をおそふと聞へしかば。一門都にたまりへず主上を始メ奉り。雲井を出て下り月西にむちうつ其中に。池の大納言頼盛と申せしは。相国清もりの御弟公達方の叔父なれ共。天性弓矢にうとく（8オ）して短才不学の億病人。一門なみに出立し鎧の袖を冷汗に。しぼり手綱を力帯。乗た計でひらくびにだき月毛のこま口取て。普代の執権弥平兵衛の尉宗清行　幸に追付んと。人馬のけたつる塵ほこり芥川にぞ着にける。

うしろのかたよりおゝい。〳〵しばし〳〵と出頭伊賀の蔵人家員息を切てかけ付。なふ〳〵我きみ宗清も聞しめせ。御果報の付時はいつを限らず。我等（8ウ）御跡に残り宗清殿差図の通り。御所に火をかけ追付んと仕る所。右兵衛佐頼朝公より。みつ〳〵の御使者をもつて御書到来。何事かと封押きり拝見いたし。

あまり嬉しさのまゝどふ道を走つて参つたやら。御身のうへにめで度吉事。先々御拝見と指出せば。頼盛じろ〳〵打守り。ハテ物覚へのわるい家員。いろはさへゑよまぬをしつてゐて。拝見とは猫に小判（9オ）。吉事とあればみゝよりそふ云手間でよんで聞せ。

蔵人はつと一通を押ひらき。是お聞遊ばせ。頼朝つゝしんで申旨趣は。そのかみとらはれと成既に誅せらるべき所。遁れがたき命をゆるし生られ奉りしこと。ひとへに御母公池の尼御前。ならびに弥平兵衛宗清が芳恩也。其心ざし生々忘れがたし。頼朝世にくわいけいせば。かの御恩ほうじ奉るべし。此条けうばうの作事（9ウ）にあらず。且は二所権現八幡大菩薩の御知見を仰 者也。仍而恐惶 謹言。進上池頼盛殿源頼朝判。なんとお聞なされしか。此上はお命に気遣ひなし都にとゞまり。御一門は西国へも高麗へも落して後。君鎌倉へ下向有。頼朝公の御きげんをさへ取給はゞ。今までの御知行別条なく。ふたゝびゑようの花盛 日こそ多けれ今日此御書の到来。神仏の御かごいざ都へ御（10オ）帰りと。轡のみづゝきむずと取て引もとす。

宗清引留まて蔵人。そのかみ平治(へいぢ)の乱(みだれ)に。其頼朝此宗清が預り故。禅尼(ぜんに)の御耳(みゝ)に吹(ふき)こみ。さま〴〵にこしらへつぎがたい首をついだれば。今其恩(をん)を報(ほう)ぜんこと偽りも有まじ。頼朝は御命助たく思ふ共。木曽義仲多田ノ行家。何をよしみに情をかくべき。なまなか都に立帰り。人より先に首が飛ふもしれ申さず（10ウ）。あれ御覧候へ。早都へは義仲行家の兵入かはり。白旗(しらはた)しろじるしへんまんし。平家の落人(おちうど)一人もあまさじと。矢先をそろへし軍兵くつのこを打たる其中へ立帰らんはこはもの。よしなき事に隙取て御一門にをくれたり。ゐざ給へそこはなせ家員と馬のはなを引かへせば。是〴〵宗清殿。義仲行家ちつ共こはふない。其知恵は此家員が胸に〳〵。ぜひお帰りと引戻(もど)す。どつ（11オ）こいやらぬと又引とめ。引つ引れつ二三度四五度。野路(のぢ)の八千種(やちくさ)ふみしたきあなたへはたぢ〳〵〳〵。こなたへはよろ〳〵〳〵。のりてはくらのうみにたゞよひ。洲浜磯(すはまいそ)にも　寄付ぬ身はすて小舟のふぜいなり。

詞 ヱ、どうよくな宗清。此様に身をもませめがまふたらなんとする。都へ戻(もど)れ戻るなのせり合も命有ッての事ではないか。かまくらからはお助(たすけ)の御状がくる。義仲行家こはふない。仕様(しやう)（11ウ）のちゑが有と家員が云からは。早千年も生(いき)る心。一門衆はともあれじゆつない時はみ一身。サア早ふ都へつれてゐんでたも。家員後日の証拠(せうこ)に成。頼朝様の御状大事にせいとひけうみれんの主の皃。宗清みるめに涙をうかべしばし詞もなかりしが。

詞 義仲行家をこはしとは。君を都へ帰すましき為の偽り。よく〱思召ても御覧あれ。是迄御公達(きんだち)のかしらをふまへ。廿余（12オ）年のゑよう栄花(ゑいぐわ)。何たらずして只一人都にとゞまり。御一門の敵たる頼朝に命助られ。そもや世に立れうか。兎(うさぎ)死すれば狐(きつね)是を悲しむとて。畜生(ちくせう)の身のうへにさへ。同じ野に住傍輩(すむほうばい)のわかれを嘆(なげ)き悲(かな)しむぞや。御一門と中もおろかたとへば手足とわかつがごとく。叔父甥(おぢをい)御兄弟と名はかはれ共。同じ血筋(ちすじ)の御身内引はなされうか切捨られうか。御痛はしや帝を始奉り（12ウ）。二位殿門院御一門都を落人と成給ひ。さらば行先の生死住所(ぢうしよ)も定らず。火をふみ水をくゞるくるしみ。思ひやり給はずぐにんの詞に心を引れ。末代の恥辱(ちじよく)平家の疵(きづ)を拵へ給ふか。生る共死する共。御一門一所の御れうけんより外はなし。とかくいふ間に時うつると又馬の口引立れば。

まて〳〵宗清。兎(うさぎ)も狐もこちやしらぬ。死で御台や子共には逢れぬ。此頼盛はふまれてもたゝ（13オ）かれても。命さへあれば忝い。家員口とれいざ都へ帰らんと。宗清が手をはつたとふみのけ急げ〳〵。承はつて家員馬の口取かけ出れば。宗清あきれハヽ、是なふ〳〵。しばし〳〵と云声も風と。聞なす馬の耳。せんかたなく〳〵宗清も跡をし。た。ふて　立かへる。

保元(ほうげん)の。昔は花と栄へ寿永(じゆあい)の今は秋のもみぢ。平家の一門ちり〴〵の其中に。池ノ大納言頼盛卿一人都にとゞまりて。きのふ（13ウ）は雲井に雨をふらす龍たりしも。けふは宗清が里屋形(やかた)に水を失ふ枯魚(こぎよ)のごとく。御台蔵人(くらんど)諸共に頼朝卿の音信(をとづれ)を。まつ間わび敷日陰ずみ。明暮は只鎌倉の空頼むこそわりなけれ。

宗清が妻の朧夜（おぼろよ）。娘のとこよ親子づれにて持はこぶ。こいちや茶わんのうすからぬ何がな。お主のお気ほうじ。襖（ふすま）のこなたに手をつかね。女中方たそお取次。朧夜と（14オ）こよ。御きげんうかゝひと申上ればば。是は〳〵御案内に及ぬ事と。ふすま明るは蔵人家員。座を立て頼盛卿よふこそ〳〵お内義様。サアこなたへ。娘ごもきてか。毎日〳〵器量（きりやう）しあげて。なふ家員。見れば見る程うつくしい母こに其儘（そのまゝ）。そこは風吹。大事の身に風があたりわつらはせてはならぬ。親子共に先こちらへはいらしやれ。其様にうやまはるればけつくめいわく。ひら（14ウ）に〳〵ともてなし余る主の罰。空恐ろ敷親子はたゞはつ〳〵と計身をちゞむ。

御台も奥より立出給ひ。ヲ、宗清の内義娘。さあ〳〵こなたへ〳〵と。親子の手を取其お手を。いたゞき〳〵申御台様。今の殿様のお詞余りといへばけうのさめた。私は誰御普代の御家来宗清が女房。其女房をお内義様と。先あの様は何でお付なされます。尤今は世を忍ぶ御身の上。夫宗清が（15オ）世話に成と思召ての様付か。もつたいない〱。おかくまい申と云も皆殿様より下し置れし御知行のよけい。なぜ大へいに此屋敷一ッはいに大きう成て御座遊ばさぬ。たゞしは何ぞ御不足の事有て。めいわくがらせふと思召ての様付か。そこが御家来。是が気に入ぬどうせいかふせいと。なぜすなをに御意成て下されぬ。神仏にも親にもかへぬ御恩のお主。中殊にお ウ身が ウ立か立ぬか ハル一大事の折もおり（15ウ）。心を尽(つく)すかひもなく。お ウ情ないとかきくど 中けば。詞フム扨は早そなたにさまと仰られしか。中ハットあからむ ハル御顔に。かゝる涙はもみちはに スヱテ暁(あかつき)露の置(をく)風(ふ)情(ぜい)。

詞此度御一門に引はなれ一人残らせ給ふこと。宗清の気にいらず。生る共死るとも人なみ〱。ぜひ西国へとの諫言お身の為。皆尤といく度か共においさめ申せ共。中ウ妻子も ウいとおしく ハル人の身はたゞ命より。ウ外にはおしき物なしと涙ながらの妻（16オ）中心。むりに共 フシ云やらで。中共にかた ハルみの 中すぼることとけらいながらも ハルそなた衆に。顔合するも恥 中かしし。詞殊にきのふ是此人形を。宗清の持来りとくと心をはんじみて。返事せよとて我妻のちゑに及ぬ作り物。自は猶ゑとかず家員もがてんがいかず。三人が打寄てきのふよりのものあんし。そなたが見へたらはんじてもらふ人に物を頼むからは。様付てうやまはふと兼てしれやつたりちぎなお生れ（16ウ）。中妻子と云物ないならはハルウ此う上き恥キンは有まひと。思ふにかひフシもないはひのと身をふし。ハルくやみ。泣給へば。

ハル頼盛も猶しほ〳〵家色員おつ取。詞只今御台様仰の通り。とかく西国へは虫がきらふか。行ともない死共ないとおいやがり。宗清殿きげんなをし迚（とても）おかくまへ申さるゝ上は。心よふ御せんも上るやうに。付ては某もそつとおしかりなさるゝ様にお取なし。中ウ何を申もハル主君のお為。詞ナ殿様そうじや（17オ）ござりませぬか。それ〳〵。宗清がしかんだ顔みれば命がちゞまる。頼上るお内義様と。ハル手をすり給ふいた〳〵しさフシ共に涙にハルくれけるが。

詞我夫ながら宗清は。りくつ一ッ遍かたむくろ。ハテ右兵衛佐頼朝も命生られたればこそ。けふの幸に逢たではないかいな。ひざもとには藤九郎盛長と云私が兄も有。こま〴〵の文書やらばよいおたよりはやがての事。宗清へもよい様に申ませよ。いとゞさへお心の（17ウ）むすぼれる時も時。はんじ物所かとふたをひらく一箱。やまざるに衣冠をきせし是ぞ此唐士の韓生が。楚人獮猴にして冠すと項羽を笑ひし。冠装束着せしは人の姿にかはらね共。魂は畜生也と心をいはゞ如何ぞと。是は〳〵何ぞと思へば。猿の大裏と云物をうつしにせたる。子共の手くさやくたいもないものと取納め。幸夫は世上のていを見分と。けさ程より出られし此間にかま（18オ）くらへの。文もしたゝめかへり次第よしなに云なだめ。よいおたより聞せませふ。是娘。そなたは残つてお伽申しや。又おめみへをと座を立ば。つゞいて人々送らせ給ひ。何ごともそなたを力宗清の了簡あるやうに。云なしてたもないぎ。是お内義さま頼まするぞや。ア、めうがない殿様としたことが。何の如在がござりませよと。立出る次の間。宗清はかへるさやり戸口に。はたと行合ヲ、女房か。見れば（18ウ）御主人御夫婦に送らるゝ。けらいもけらい。家来を送る主も主。これや何事ぞととがめられ。各はつとまじめ顔あからめ。言句もなかりけり。

イヤ幸御主人の御前。女共申渡すこと有。其方には暇(いとま)をくれる。りべつ成はと有ければとは何事と驚きながら。なふ宗清殿。侍の女房は持にも義有さるにも義有。私とこなたのゑんぐみは。お果(はて)遊ばした池の禅(ぜん)尼(に)さまの御なかふど。何故（19オ）にさると有子細聞ねば暇はとらぬ。いかなことこなたのそばを。かうも〳〵いごかぬ〳〵。

ヲヽ、尤々。汝が親は比義(ひきの)庄司盛廉(もりかど)と云源氏(げんじ)普代(ふだい)。藤九郎盛長(なが)と云兄。当時(とうじ)頼朝が執権として鎌倉にゐをふるふ。かく云宗清は平家普代。今敵みかたと成たれば。剣(つるぎ)と剣をだき合いもせ。それゆへに暇をやる。なんと聞わけしか女房。いや〳〵〳〵それなれば暇はとらぬ。りべつには及ぬはいの。とはな（19ウ）ぜ〳〵とひざ立なをせば。ハテしれた事いの。わしを女房にもたしやつたは。とゝ様にもらふてか兄様にもらふてか。サアなんと兼て申さぬか。母様は私を産て当座にお果なされ。其比は新院様の御謀反(むほん)世の乱（みだれ）。と丶様は六条の判官為義公（はんぐはんためよしこう）の御手に随ひ。清盛公と軍の最中。私をそだてる所へはいかなんだげな。それ故めのとに預けそだてさせ。是迄お名を聞た計と丶様も兄さまも。ついに（20オ）顔見たことはござんせぬ。其後兄様は頼朝殿についてひるが小島へ。私は池さまへ御宮仕へに出て。こな様と夫婦に成たじやござんせぬか。すれや其時からしれて有。源氏平家今改（あらためて）。敵みかたにも成た様にほんにおかしい。たゝき出されうが追出されうが。一寸もいごきやしませぬ。たくさんそうにりべつ〳〵となんじやの。やいそれ程のこと宗清がしるまひか。親兄の手よりもらはぬ（20ウ）女房。さるさきもないと思ひの外。儕が親比義の庄司盛廉殿が。暇を取にわせたはやい。ヱあのと丶様がへ。ヲ、サ頼朝ひるが小島に御座の内は天下をだやか。今一院の仰によつて。謀反を思ひ立給へば互に刃をあらそふ中。弥平兵衛聟成とて遠慮はならぬ。戦場（せんじやう）に望んで互の勝負。娘をさつて縁をきれうけとらんとの口上。ぜひに及ずりべつせんとのけいやく。委細は逢てじきに（21オ）きけ。庄司殿いざこなたへとまねきの〳〵声に随ひて。

頃も八十年に。かたぶきし腰もふたへの太刀かたな。翁さびたる柄廻り打しはぶきてむずと座し。ヱどれが娘ぞ。いづれがそゞ。是私てござんする。今迄はなど娘共とひおとづれて下されぬ。卅余年親しらずけふ始てあふ父上様。床しうござると取付ば。ム、そなたが娘の朧夜か。よふまめてゐてくれたなと。引よすればすがり付（21ウ）。むせび入たる親子の涙とゞめ兼たる計也。

是々庄司殿。最前詞つがひしごとく暇くれんと申せ共。とるまじと申一理も有。せひに及ず約束へんがへ。先りべつ致さぬ分然ば長居は御無用。お帰りなされとつかふどさ。庄司老の眼にかど立。なんだやくそくへんがへ。いやそりやあんたること。お身は武士だか。刀の手まへ恥かしくはおりないか。ヱ、其根性だによつてな。一せんにも及ず木曽に都（22オ）を追出され。剰一門に引わかれ。一人都にとゞまつて何を頼に何を待さ。イヤサ一門の思わく。世上の物笑ひが耳へはいらないか。扨〱。主が主なればけらい迄ひやうりものめ。此庄司八十迄。善にも悪にもつがつた詞ひるがへさぬ。娘をさるか。いよ〱

さらぬか。ヤイ娘。いとまを取か。とらぬかそれぬかせ。返答によつて手はみせないと。口とはちがつて
なまらぬ心どうだ〳〵とつめかけたり（22ウ）。
朧夜なく〳〵なふとゝ様。他人の上も取あつかい。中のわるい女夫の中もまるふしそふな年をして。あき
もあかれもせぬ夫婦の中。縁を切とは何事ぞ。夫をほめるではなけれ共。宗清殿は情も有仁義も有。よい
男持た果報者(くはほうもの)と。果報の手本にも成娘。のきさりさせたら悲しからふかはいやと。思ふても下されぬそれ
でもこなさま親かいの。たとへ王様の勅諚でもいか（23オ）な〳〵暇はとらぬ。中殿様おみだいさま。お
主の御威光(いくはう)でつれ合に隙やるなと。御意なされて家員殿。お取なしをと云れて各きのどく顔。心にはそふ
思へ共しりやつた通の我々。必々主をあてにしやんな。随分そちらで侘しやと。頼むこかげも雨もりてい
とゞ袂をぬらしける。
よい〳〵娘め。迚暇取間敷心底見届ヶた。サア宗清さいぜんのけいやく。暇やれつれかへらん。サアなん

と。サアいかにと。せぐり立（23ウ）てもさしうつぶき。かへす詞もなんぎの面色。ホウよいさ〳〵。弥平兵衛宗清。武士と思はぬ猫め。むじなめ畜生め。ヤア畜生とは其おとがい。切さげんとそり打掛る。いや見ごと切か。娘をさらねば舅は親。おやを切か宗清。切度は娘をりべつ。他人に成てサアきれ〳〵。おくれたるか宗清。土足に擬する此むね打思ひしれ。猫めとてははたと打。むじなめとては丁どうつ。こらへかねて宗清ずはと（24オ）ぬいたる刀のでんくはう。心得たりとはつしとうけ。切結ぶ刀のくわんきう老の足どりちつ共ひるまず。ヤレ切合よと頼盛卿。みだい所の御手を引立家員もろ共にげかくれ。襖ほそめにはあ〳〵とのぞいて御身をひやさるゝ。

朧夜すかさずやりかけの。長刀取てかけ向へば。ヤア〳〵女房。親の助太刀宗清に手向ひか。但しは夫の助太刀親盛廉に向ふかと。声掛られ持たる長刀からりとすて。ハア（24ウ）そふじや成程暇取ませふ。さり状下され宗清殿とかつはとふして。泣ければ。

ヲ、よい合点。さり状とは町人の上のこと。源氏の娘平家の夫。りべつと云より外に証拠の入べきか。互の生死は不定せかい。奥へゐてしばしが内娘共暇乞。庄司殿いざ御休足。御供申せと有ければ。詞なく〳〵父諸共。娘の手を取いざなひて奥の〳〵一間に入にける。

御台走り出給ひなふ（25オ）宗清。内義に暇やりやつたの。りべつしやるそなたは男の心思ひ明らめもあらふが。高いもひくいも女の心は同しこと。さぞや内義の悲しさつらさ思ひやらぬではない。たつた今迄わりくどき。妻子にお心引れてのことならば死でみせふと迄したれ共。かつ手次第とにもかくにも命がおしいと。何を云ても下地の臆病(をくびやう)。西国へもいきをくれして弥ひけうのねがすはつた。いへば云程殿（25ウ）の恥。よしない人を主に持。そなたのくやみ内義の嘆き中に立た自が。心を察してたもいのと声を。忍びて泣給ふ。

ハアぜひなやなんと致そふ。きのふ御めに掛し人形宗清が拵へたるにあらず。誰がわざ共存ぜず表(おもて)門に捨置し心は。殿は冠装束着たる畜生也と申事。是御めにかけ此心をさとらせ給はゞ。もしや御心のひるがへることも有ふかとの頼み。又今日愚妻(ぐさい)を離(り)（26オ）別致せしも。ひとへに源氏のゑんをはなれ。殿の心を一向に西国へ御供申。御一門と一所にならん謀。一応や再応(おう)でいとまとるまじき女房が心底を察し。比(ひ)義(きの)庄司盛廉と申親は拵(こしらへ)へ物。のつ引させず縁をきらん計略(けいりやく)にのせられ。不便や儕が方から暇(いとま)を取てござる。宗清とても木竹にもあらばこそ年来のよしみをふり捨。もつたいなや三代相伝(さんだいさうでん)のお主に。ぶつてうづらしておめに掛る其くる（26ウ）しみ。本家の名を下すまじ。殿を殿と云せんと今が今迄心頼みに存ぜしに。妻子も死なばしね命惜しとの御物語聞てがつくり。さぞや西国にまします御一門。傍輩(はうばい)の侍共あざけり笑はん恥しやと。大声上て泣さけぶ理り。せめて哀なり。うしろのやり戸さつと明。娘の手を引女房なく〱立出れば。宗清うろたへ俄につくる十面顔。是宗清殿。何もかもとゝ様のお咄しで聞（27オ）ました。妻子にもかへそれ程にお主は大切な物かいの。断立て宣はゞ暇取まじと申さふか。隙のやられぬわけ有と。気のあつかいに苦労(くらう)を重ね拵へ事。お心根がいとしうて。にくいとは露思はぬぞや。世が世にも立なをり。縁あらば又の念入て置事が有。しかと源氏平家の其障(へだて)計也。外に見落しとてもなくあきもあかれもなされぬの。ハテ見おとしあれば今迄はまたぬ。たとへ行(27ウ)先があらふが有まいが其時さつてのけるはさ。アツアそれなれば忝い。それについて一つの願ひ。此娘はわけも有。ことに女の子は母に付ならひつれて行が合点か。ヲ、何より安き願ひ。つれてゆけやつた〳〵。ヤそれよ。御前に急の用有と立んとすれば袂にすがり。まだ念入て置事が有。しつての通り親兄にも是迄に文一取やりせず。さられましたと行れもせず。世の中の(28オ)治る迄。たとへいやしい所にも身を置が合点か。ヤアみれん者。其跡先のせわすればさらぬも同前。退(のけ)ばあかの他人の身の上。何のかのとじごんじ計。しらぬ〳〵と取てつきのけ。ヱ、それ程ぐちな女とは今までしらいで。それが悔(くや)しい〳〵とよそに紛らすわかれの涙。重ねてかへす詞も涙子の手を引て立出る。

御台もみるめに御涙。是なふ内義暫くなふと。よばれ（28ウ）てはつと立戻る。ヤまだうせぬかと立へだて。にらむ眼も又なみだ涙。〳〵の落合てすへで逢瀬のいもせ川。それを頼みに出て行心の〽内ぞ哀成。宗清は泣顔を。かへす程なをまゆをひそめ。ハテおみだいさま何をお嘆き。扨申上ること有。御一門に離れかくとゞまらせ給ふ上は。今更何を申かひもなし。此上は都に御座有て。頼朝がせんずるやうを待せ給ふより外はなし。必（29オ）々いか様に申てまねく共。鎌倉へ御下向ふつつと御無用。兼て左様に思召。万一の事有共とゞめさせ給ふべし。扨第一は。今日罷出世上の風聞をうかゞふ所。殿此所に御座の事木曽義仲伝へ聞。追手を指向んとの催しと人の申せし。偽はらずは御身の大事。幸北岩倉にはよきしるべ有。今宵其方へ御供せん。さあ〳〵御用意〳〵と。申もあへぬに家内俄にさはぎ立。誰とはしらず（29ウ）勢の程二百騎計。屋形近く押よせ候御用心とよばゝれば。奥にもたまらず頼盛卿。家員諸共ふるひわなゝき。アレ敵がくるといの。何とせふ宗清思案はないかとおのゝき給へば。ハテかく都に残りとゞまるからは。

此よせて思ひもうけしこと。サア家員殿。義仲行家こはふないと。芥川での広言サア此節見たい〱。是宗清様。我等が中事に何のせうがござりませふ。早近く（30オ）へきたやら物さはがしい。殿様も私も。是なふお助〱と生た心ちも見へざりし。

よし〱敵何百騎有共宗清に任されよ。一方切ぬけ御供せんと云所に。表に人馬のとゞろく音時をどつとぞ上にける。心あらん家来共しばしふせげと有ければ。畏つて入みだれ。しのぎをけづり　戦ひける。

其隙に宗清身繕(づくろ)ひしてつつと出。勢をよする大将の習ひを背き名乗もせず。頬(つら)（30ウ）も見せぬはムヽ聞へた。世上にはいくわいする盗賊(とうぞく)めらな。よしなき調度(てうど)に心をかけ二つなき首を失ふ。帰れやつとよばゝつたる。大将と思しき者広庭に大音上。おこがましや宗清聞度は云て聞せん。忝も朝日将軍木曽殿の御内に。曲淵(まがりぶち)権の太夫と云者。頼盛もうぬめらも死に様は勝手次第。見物せんとよはゝつたり。ヤアしやらくさし其おとがひめいどできけと。太刀まつかうに指(さし)かざし二百の勢(せい)（31オ）を左右に請。大内山の山おろし落花(らつくわ)みぢんに　〔三重〕切立る。

〔ハル〕宗清一人に切立られ。二百の軍兵(ぐんびやう)なかばは討れしどろに〔フシ〕足を立兼たり。〔ハル〕どの道筋を曲(まがりぶち)渕権の太夫思ひがけなくうしろより。頼盛家員主従の首筋つかめば。あつと云声より先に〔色〕どうどふす。のつか〔ハル〕ゝり二人を引〔ウ〕敷くゝり上んとせし所へ。〔色〕宗清〔ハル〕すかさず〔ウ〕立かへり水もたまらず〔フシ〕首打落し。〔ハル〕あやまちなふて珍重〳〵一先他所へ（31ウ）御供せんと。〔ウ〕みだい所を我かたにヲ、。〳〵。おはらしづはら家員も。頼盛公を二のせ村。行んとすれば足がつくり。急ぐとすれどめ〔ウ〕はくらま〔キン〕只時の間に八瀬の里。宗清二人を小脇(わき)にかい込(こみ)〔色〕谷川。山川。飛こへはねこへがゝたる寄手のけんそをしのぎ。なんを遁(のがれ)て〔ウ〕北岩倉(きたいわくら)〔色〕しるべを。尋ね忍びける

第二

非礼を平親王にくらぶれば正平の風条をならさず。暴（32オ）逆を平相国にひすれば治承の雨塊を動かさず。扨も木曽ノ冠者義仲。平家を西海に追下し恣に左馬ノ頭。朝日将軍に押成六条西ノ洞院。大膳太夫成忠卿の御所をてんじ館とし。闕国を撰領じ京中の財宝を掠取。日々のかぶ夜々の酒宴色とおごりを翼とし。雲井に翻其勢ひ見る人よそめをそばだてり。

比は寿永二年中秋下旬。あやしき夢を見たりとて全体を絵にうつし。広（32ウ）書院にかけければ出頭の寵臣。伊達の六郎親忠根之井の大弥太正広。樋口次郎兼光其外与力の国主城主。招きによつて膝を屈し。心をくつする夢判字思慮の。及ぬ筆跡也。

義仲席をみやりいかに旁。めにみる計合点行まじ。いで夢みたる此絵の子細語つて聞せん。されば過つる夜所は上皇の御所法住寺の池の辺と覚へしが。何の故とはしらず上皇後白川の法皇と某。池をへたて陳をはつて相対す。時に（33オ）かの池忽 水ひあがつて陸地と成。両陳互にいさみをなし既たゝかはんとせし所に。ふしぎや某俄に羊と成と思へば。法皇も又勇猛ふんぢんの獅子とならせ給ふ。敵みかたの軍兵すは此軍の勝負は。しゝと羊の戦ひに有と弓をふせ戈をなげ。あはや〳〵と見るも程なく。しゝはたけつて飛かゝる勢ひ天地も崩るゝ計。羊は恐れて大地にまろび。二つの角と一つの尾をつき折。天に上るとおもへば夢覚たり。絵にかゝせしは其夢の有様。夢はもと元気のつ（33ウ）かれと医者共が申せば。性も体もないたはことゝは思へ共。法皇はしゝとならせ給ひ義仲は羊と成。角をくじき尾を折とは不吉のたゞ中。何とやらきがすまず。たゞし面々所存も有や。各心底聞たしとちつ共心うかぬ面色。録のかるきは身を恐れ。或は不吉と思へ共きげんをあやふみ口をとぢ。互に詞も得出さずしづまり。返つてゐたりける。

伊達の六郎末座に向ひなふ旁。御前にも不吉の夢と思召故。人々の了簡を尋させ給ふ。夢はんじ夢合とは女わらべ（34オ）のすることなどゝ。かいやりに思ひ給ふな。仏経には五夢を説（とき）。しうれいには六種（しゆ）の夢を上て占旨有。西海には平家の大敵をかゝへ都には法皇計。未天子御即位のさたもなく大事の時節。善共悪共所存残さず申上るが忠義の第一。分別あれ旁。ハツアどふかなと申にぞ。列座も漸詞を出しハアどふがなゝ。ハツアどふがなと余念（よねん）なく。眉をひそむる計也。

樋口の二郎あたりを見廻しなふ六郎殿。申さば大事の御夢はんじ。我等しきの及ぬ所。去ながら膝共談合（34ウ）とやら申こと。先かふでもこざらふか。ヤ二郎殿早おはんじか。して〳〵何とかな。されば候先羊と申字を文字にかいて見申に。八点に王をかいてかけばりをあませり。八点は角かけばりは尾也。義仲公羊と成二つの角をくじかせ給ひ。一つの尾を折てのけ給へば跡は王と云文字計。天に上ると見給ひしは。正敷雲井の御住ゐなされんとの御吉凶（きつけう）。爰が一つの存寄何と皆々思召。我君十善万乗（ばんじやう）の御位につき給へと有。天照神正八まんの御告(つげ)と（35オ）慥に考(かんがへ)たり。大海が干潟(ひかた)と成。山が海に成とても此かんがへは違ふまじ。何茂やつと申にぞ。義仲ぞく〳〵悦喜の皃。随ふ諸士は跡先のみへぬぐもうの族(やから)共。扨はんじたり樋口殿天晴早速の御夢合。あらおめでたやめでたやとはつと。一度に平伏(へいふく)す。根井の大弥太手を打て。ハヽアちゑ哉〳〵文珠(もんじゅ)〳〵。御分別に付て思へば。法皇のしゝと成給ひしも甚不吉。しゝ身中の虫と申てしゝの身の内には大毒(どく)有。必其身を喰殺す。今都に帝（35ウ）王の定らぬ内法皇を。五条の大裏に押込置義仲天皇とかしづき。伊達の関白樋口左大臣。根井大納言なんど名付つゝ。武家事やめて是から公家ごと。ハア思ひなしかひよこ〳〵と。どふやら歌も読そふな。とかふはいらぬ善は急げ。それ小性衆天子の御衣。それよ是よと夢はんじ。兼て用意の即位の儀式(ぎしき)。俄に着かざり金巾子(こじ)の冠。十二象を織物せるこんりやうの上の袍(きぬ)。石帯牙笏(げじゃく)花紋の沓(くつ)。怨然(ゑんぜん)として王位（36オ）を奪(うばひ)し王もうが眼ざし。爰に顕はれ伺公の人々。何かはしらず一同に。恐れわなゝき　へい口す天命。しらずの。おごり人やと聞人そ。しらぬ者ぞなき。

義仲甚ゑつぼに入。ヲヽ早速のはたらき過分〳〵。扨天子に成たれば日本は早一つかみ。手に取玉の光かゝやく追付大裏を立べき也。然れは十善万乗の身巴づれの女をば。后よなどゝもてなさんは勿体なしけがらはし。殊に巴が兄兼平めが又しても異見たて。めにしみていやらしゝ。夫（36ウ）故けふの会合（くわいがう）にも今井をわざと招かぬ也。幸関白基房（もとふさ）が娘茂子（しげこ）といへる女こそ当時ならぶかたもなき。美人のほまれ隠（かく）れなし呼入て后に立ん。此義如何の詞に樋口。仰にや及べき娘はおろか妻成とて。御威光を以召れんに何条いはい申べき。誰か有勅使の用意いたされよとさはいばる。

所へ今井の四郎兼平。かくと聞共しらぬ顔おくればせに伺公し。手をつかへつゝしんで。何やらん御吉凶の御夢はんじと候て。各召れ候へ共某計御さたなし。そもされ（37オ）ばいか成事と推参をもかへりみず。参上致し候と申せど義仲にがり切。返答とてもあらざれば列座の人々口をとぢ。めを見合せて並（なみ）ゐる計。

義仲さあらぬふぜいにて。フム兼平か。太義。〳〵と計天子の出立。ふり上みるに今井の四郎。横手を打てハハハア。ヤアこれやどふじや。今日は御夢見吉凶はんだんの為人々を。参会とこそ承りしに見奉れば王位の出立。けうがる共あきれし共あいた口がふさがれず。天まの見入か但し又狂気ばしなされしか。先君は何の為信濃をお出遊（37ウ）ばされ都へは上らせ給ふぞ。平家の悪逆上皇を鳥羽殿に押込。一門驕を極め民の愁(うれ)へくるしみを。かへりみざる朝敵をせめ亡さん為にこそ。遙々お上りなされずや。然るを其身に逆心をおこし。帝位をなやまし剰(あまつさへ)御位につき給はんとは。平家の悪逆に百千倍。柯(から)を切からを切其のり遠からず。其上又此くはだて鎌倉へ聞ゆるといなや。頼朝やはか捨置給はん。早速蒲(かば)殿義経公責(せめ)上り給ふ時。今の平家の身のうへのごとく網代(あじろ)の魚かりばのきじ。遁れん方なくうろ〳〵（38オ）とうろたへ給ふはたつた今。申さぬとてもしれた事。ヱ、情なや諸家中と並(なみ)ゐ給ふは見事なれ共。かゝる大事を諫言も申さず共々に。おもねりへつらひついしやうけいはく。御意に入佞人共の詞にのせられ。目前のわざはひ御眼にはかゝらずや。ひろく露顕せざる内御心を改られ。平家を亡し君長久の御評諚遊ばされよ。是大功は細瑾をかへりみず。誤つて改るに憚ることなしと申。御幼少よりもり奉る兼平が。君の御為あしかれとて申さふか。余の者の千騎万騎つき（38ウ）奉り申より。兼平が一言を。恐れながら金言と御聞届下されば。生々世々の御厚恩。今井の四郎が一生の御願ひ。御承引下されよと。いかつつないつ利をせめ義を立忠義にあつき。涙也。

伊達の六郎根井大弥太。膝立直し眼にかど立。ヤア身の程しらぬ兼平。余の者千騎万騎より四郎が詞金言とは。舌のねの廻る儘なめ過た過言。次に残らず佞人と云は誰をさしてぞ根井が事か。但しはかふ云伊達がことか。樋口が事か今一言。しかとはきだせ一寸も座は（39オ）立せじと鍔もとくつろげ。ぎしみかゝつてつめかくる。

兼平億せずから〳〵と笑ひ。イヤしほらしいみことあぢをやるはい。誰かれと云迄ない。世かいの佞人悪人と云は儕等に極つたり。なぜといへ。在々所々へ権柄(けんぺい)に入こみ。人の土蔵(どぞう)を打開き財宝(ざいほう)を奪(うばひ)取。神社(じんじゃ)仏閣(ふつかく)を破却(はきゃく)し青田を苅(かり)て秣(まくさ)に飼(かい)。主有女にむたいの恋慕(れんぼ)邪(よこしま)の我儘。かざふるにつきせねど折も〳〵と時節を待し。定て面々覚へが有ふ。制(せい)するは兼平一人それを聞ざる儕等が。天罰(ばつ)ついに法皇（39ウ）の御みゝに達し。いか成者のわざ成ぞ義仲にしづめよと。院宣有を聞て驚き。なむ三ぼう顕はれてはと我身の咎のしるゝを恐れ。血気(けつき)の大将に毒気(どつき)を吹込。夢はんじを幸に拵へ置た謀反の手立。天に口なし人を以云しむ。天地に口はなけれ共悪事千里。我しる人知何とこはいことではないか。ヱ、もどかしいな。一々にせんぎをとげさかばりつけに掛たけれど。主人の悪名一つは又。傍輩のよしみを思ひ此度は助るぞ。去ながら御前へは向後(けうこう)ふつつと出仕(しゆつし)は叶はぬ。罷立ていかふてさ。サア（40オ）我君にも御装束。召替られていざ先奥へ。ヤまだおいきやらぬかいかぬかと。きめ付られて言句も出ず。伊達根井樋口諸共もぢ〳〵と立んとす。

義仲いかれる顔色まつ黒にせき上大音上て。ヤア〱三人共どこへ立。下にゐよ下におれさ。誰に恐れてたがこはひ。我十善の位に付んと即位の儀式ことぶく所。兼平づれの匹夫(ひっぷ)めに妨(さまたげ)られ我大願をむにせんや。天子となれば国家は我物。人の財宝青田をからふが。町人百性みぢんに成ふが。有たけに取上しとてどの法（40ウ）皇が我への使へ、、、。空おかしう腹筋いたや。義仲天子と成うへは我より上に立やつばら。かたつはしふみ殺し法皇を鳥羽殿へ押込置。頼朝も打亡すがてん釈迦(しゃか)孔子(こうし)がいさめでも。ひるがへす心てずいざこいやつとねめ廻し。帳内さして入給ふを兼平すがつてはなさばこそ。振切んとし給ふをなをしもすそにすがり付。是殿々。釈迦孔子はおろかのたとへ。君三才の御時より卅年来付随ひ。もり立申今井の四郎。何がにくふて佞人共に思召かへさせ給ふ。お為に悪(わる)い事を云ふか（41オ）。ぜひ悪心をやめ給へ御とくしん有迄は。甲(かう)が舎利(しゃり)に成とても持たる所はなさじと。猶々つよく引留る。ヱ、こと始にけたいのわるい。ほうげた引さき捨んずとどうどけたふし胴骨を。くだけよおれよと足下(そっか)にかけ。まだ其眼と笏追取。ふり上〳〵打すへ〳〵。ヲヽ心ちよしいさぎよし。まそつとおとがいたゝかぬか。伊達根井樋口もふめ。畏つてよらんとす兼平くわつとねめ付る。眼に恐れそばへもよらず。なぜにふまぬふめさ〳〵。アイもうふみましたと同じ事と。めとめを見合跡じさり（41ウ）義仲かつに乗かゝり。今井を取て膝に引敷。ヤレぶて根井樋口大弥太。はつと答へて我先にと主のゐくはうに情なく。さん〴〵に打擲(てうちやく)し。どつと笑ひし兼平が心ぞ思ひやられたり。

ホヽウよいきみ腹ゐせ仕廻た〳〵。そいつにかまはず打捨おけと門より〵外へなげ出し。サア是からは破口(やぶれ)。最早謀反は顕(あらは)るべし馬にくら置物の具せよ。さきんずる其時は制せずといへり。時日を移さず法住寺に押よせ。法皇のはがいをもぎなまくげばらにあはふかせん。伊達根井両大将は六条河原に勢（42オ）をよせ。西の追手を切崩せ。樋口は今熊野の方よりしてからめ手に押廻り。法住寺の御所を只一もみた。て。をはき矢じりをみがき。腰兵糧秣(ひやうらうまぐさ)の用意。軍の手くばり手詰(づめ)のかけ引。ぬかるな者共こなたへと。簾中深く入ければ皆々つゞいて座敷を立。すへの栄花はしらね共。日の出の朝日将軍とそしらぬ者こそなかりけれ。

跡には兼平。只一人腰も五体もふし〴〵もくだくる計にくるしめど。漸に起直り。館をにらんで大音上。ヱヽ聞へませぬ殿。諌言申（42ウ）がおきに入ずはなぜお手討にはなされずし。兼平程の武士をいかにお主の御ゐくはうとて。犬同前のやつばらに打擲は何事ぞ。今井が思ひ切たらば佞人共が首かたはし。並ぶるも安けれ共。さすれば主に敵対の道理。胸をさすつて帰れ共。かく迄ゆみ矢のめうがにも。つき果る物成かとはがみをなして。泣ゐしが。アヽまゝよお主じや物。主と病にかたれぬはしれた事〳〵。と云ながらも無念やな。伊達根井樋口共よつく覚へよ此恨み。おの（43オ）れ。はらさでおこふかと。すご〳〵立て行道の。小袖も破れみだれがみ。秋の木のはとちり〴〵に。成行果の無念やと涙。ながらに〳〵立帰る。

冬 あたゝかなれ共寒しとさけび。年上れ共うへたりと嘆く。木曽義仲が悪行無状世を。其昔に返さん

と関白松殿基房(もとふさ)公。庭の池波。よるとなく。昼も汀(みぎは)を離れ給はず。思ひをひたしすませ共。猶いやまさる
濁(にごり)江の心も。すまずみへ給ふ。
執権堀(ほり)川中務あはたゝ敷。中門の外に畏り。恐れながら是より言上。今日（43ウ）は又猫間中納言光高卿
御勅使。いつものごとく御あしらひ申所。ぜひ御逢有べしと是迄御入来。御対面有べうもやとうかゞへば。
いやとよ幾度の勅使也共。我心済ざる内は。対面益なし返し申せと有ければ。中納言光高卿門外に御声高
く。御対面叶はずんば。是より申述(のぶ)る勅諚の旨基房公聞召せ。扨も此度木曽義仲が悪逆。法住寺の御所を
やき討に亡し。三条ノ大納言朝方(ともかた)卿以下四十九人の官職(くわんしよく)をとゞめ。上皇を五条の大理に押込。剰近日遠
（44オ）き島にうつし。其身近々天子に成べき用意と聞。其上軍兵京中に乱入人の財宝を掠(かすめ)取。神社仏閣(じんじやぶつかく)
をこぼち薪(たきゞ)とし。青田をかつて秣(まくさ)に飼(かふ)民の嘆き。上皇はりの莚に座し給ふごとく。右兵衛佐頼朝にしづめ
よとの勅諚。蒲冠者範頼(かばのくはんじやのりより)源九郎義経。木曽が討手に向ふとは申せ共。京鎌倉其間をへだつれば今に上ら

ず。明日にも上皇を。遠き島にうつしては天下くらやみ。此節杖(つへ)共柱共力に思召基房公。召の勅使両度な
がら対面な（44ウ）く。池におどる魚を詠め。御心一つは楽しむ共上皇を始万民の嘆き。よそに見捨給ひ
ては君臣の道立べからず。其上御娘茂子(しげこ)の君を。義仲にめ合せ給ふとの風説(ふうせつ)。よも誠とは存せね共。時世
に随ふ人心はかりがたし。義仲に同意(どうい)して君を捨させ給ふかと。勿体なや龍眼に御涙のかはく隙もなし。
是等の勅答光高に伴ひ参内有。一々仰ひらかせ給ふか。但しは承つて奏すべきかいかに〳〵と述給へば。
涙ながら御手づから。中門の戸を押開き勅使を（45オ）。いさなひつゝしみ給ひ。
勅答は追ッて申さんなふ光高卿。君恥かしめらるゝ時は臣死すと申さずや。義仲が狼藉(らうぜき)愚老とつくと存ぜ
し故。わざと両度の勅使に対面致さず。しんきんをやすんじ万民の嘆きをすくはん為。さま〴〵心をくだ
き候へ共。人倫の道を背く義仲。人倫の道を以はきくにあたらず。此池水に思ひをすまし魚を詠め。魚の
心を見付し故義仲を亡すべき。一つの計略(けいりやく)漸今日見付たり。其子細あらはにはのべかたし。恐ながら勅

使は（45ウ）おくに御休息。基房がせんずる様を見て帰らせ給ひ。上皇に奏し給へと御詞も終らぬ所に。取次の役人又義仲より使也と立さはげば。折よし〳〵こなたへ通せ勅使は奥へ。中務御馳走申せともふけの座敷にうつし参らせ。御身も御足かろ〲と別れて奥に入給ふ。

堀川中務出向ひ。木曽殿の御使者こなたへと請ずれば。いつに替りて。尋常(じんじゃう)に。金拵への大小に紅の。裏付美男草。花やか成出立に袖はつめても角入ず。きぬの追風。くゆらする是ぞ（46オ）ひさうの御物ぞと。御所中心をおくの間の。女中に一めみせたらばたんと思ひのふちせ川きくの状文たへまじき。天晴器量しとやかに奏者に。向ひ手をつきて。拙者木曽殿の御前を勤る。花垣主膳(かきしゆぜん)と申者。お取次の御仮名(けめう)はな。自分義堀川中務御使者御苦労。扨御口上の趣承らんとあしらへば。主人木曽殿申さるゝは。姫君茂子の御こと。義仲夫妻に下さるゝ様毎々申さるゝといへ共。下されう共又下さるまじ共。うむの御返答是なきによつて。ぜひ今日は（46ウ）基房公の御めにかゝり直々に。いやおふ承はつて伺公致せと有。使者は則義仲同然。とかく御めにかゝらでは済ぬこと。此旨仰上らるべしと相述る。
お使者の口上つぶさに承知仕る。先お尋申事有。暫く以前此方より使者を以義仲公へ。申入たる子細御存
なふてのお使者とみへたり。主人へ申通ずるに及ず。姫を木曽殿にめあはせ申基房所存。立帰つて此通仰
上られよと。聞もあへずびつくりの。ひやうしに詞もしよていもくづれ。ム、そんなら早先に。お姫様と
義仲様御夫婦にな（47オ）されうと有。お使がいたかへ。ハアと計に色違へ涙まじりにしあんの体。
め早くみて取中務なふお使者。何を御しあん此方の姫君。義仲公のみだいにそなはり給へば。兼て女御后
にも。立んと存ぜし基房心底におとらず。今日御出なされうち〳〵の御盃。取かはさんと云遣はせしお入
に間も有まじ。是に付て承れば。義仲公御簾中同前に御寵愛なされし。巴と中女此事は存ぬか。存ても押
だまるか。世ぞくにも申通り女は氏なふて玉の輿。たとへ其巴と中女匹夫の娘也（47ウ）共。一旦木曽殿
の御簾中共云れ。今更此方の姫君に思ひかへられては。女たる身の一分もハ、、、半分も立ず。そくび押

へても一理屈申筈の所。押だまつてりんき致さぬは。いやはや瘂(おし)かぐつしやりか。いづれの道にも女は捨つた。したがだまつてゐるも尤。生れ育も嘸や木曽の山猿同前。ヤ是は出る儘の影言(かげごと)。此方の御所中。打揃ふて噂致し笑ふ故。思はずしらずとはず語り。必々御さたなしと云皃の。巴と見付そらめするたそかれならぬうはとぼけ。

俄にくわつ（48オ）とせき上て。め顔にみゆる心の妬(ねたみ)。声ひつしよなく是中務様。花垣主膳と云名は偽り。わしや其巴でござんする。よふそこをぬからふわいな。あられぬこんな姿と成けふ爰へきた心は。基房公の御目にかゝり。捨られた我身の上をかきくどき必々。姫君様と祝言させて下さるなと嘆きの為。水さしにきたのでござんすはいな。ヤアト驚(ぎやう)天そら驚き。こはざれ〳〵巴御前でましますな。存ぬ事とて面目なやと云捨にげて走り入。

是々とよべとわめけど帰らばこそ（48ウ）。巴は猶しもせき立心。大小かなぐり袴の上下。ふみころばしふみ捨。〱百花乱るゝ女の姿。サア〱祝言に事極つた。そはせては一生のふかく。我身の敵は茂子の姫。存分云んと掛出しがア、そふでない〱。姫君に咎はなし。にくいは男め。大体の馴染かいの。おまへは十五わしや十二。まだ手習のもしほ草。いろはにほれたと云初て。一二三世や五世の契り十。百。千万劫も替るな。替らじそなたをのけて。いとしいものはないぞやと。京三がい迄付したひ幾年。月の鳧鐘も一つ枕に。聞た物（49オ）。筋道立た立身は。身にかへて願ふ女の習ひ。なんぞや邪の身を立ふとて。どうよくに見捨やつたの。ふがいない女と人のめにもみゆればこそ。今中務のいやつた詞。耳に残つて口惜いかなしい。とゝ様は今井兵衛兼遠と云弓取。兄様は誰有ふ。今井四郎兼平と云仁義者の其妹。外に祝言させては一生の恥辱。よふあたゝかに茂子の姫とそはせふわいの。とはいへ是迄外のおなごに。かりにもしろいはみせぬ殿。此気の付たが身のゐんぐわ。いもせの縁の切時かと。紅梅し（49ウ）ほるゝ花の顔。はらり〱とこぼるゝ涙枝に。ふりつむあは雪の朝日に。とくるごとく也。

折節木曽殿御入也とよばゝる声。爰に待受つめひらかふか。一先やうすをうかゞはんと。待間も遠き長ゐん伝ひ白洲（しらす）に飛おり。忍んで菊のませ垣に身をちゞ。めてぞ隠れける。

悦びいさむ。午の上刻。きら引繕（つくろ）ひ木曽義仲。基房の亭に入給へば中務出向ひ。今日は最上吉日。うち〳〵の御縁組早速の御出忝し。いざ御通りと手をつけば。にこ〳〵と上座にざし。義仲が所望叶ふまじ（50オ）くは。基房もはめつの所得心は果報者。近々某天子になれば姫は后。基房は大政大臣。汝は馬屋の別当に云付る悦べ。先姫に逢たし。はづませず共顔みせよどうしや〳〵と正体なき。ハア基房も悦び御同然。ア、誰か有。姫君の御用意よくば早こなたへとよばゝれば。父の殿下にいざなはれ面はゆげにも茂子の姫。露をふくめる。糸萩に。二りん三りん初花のほころび匂ふ御粧ひ。

おすへの付々女房達。ながへのてうしとり〴〵に。君（50ウ）は千世ませ〳〵と。くりことを祝ひ歌の面白の時代や。基房公ほゝゑみ給ひ。誠に面白の時世や。義仲殿を我聟がねとは。思ひもふけぬ老の悦び。

すぐに此所にとゞまつて姫諸共。愚老に孝行あれと云べけれ共。平家の残党(ざんとう)都に徘徊(はいくわい)。少もゆだんのなら
ぬ折節。太平の功を立る迄は残念ながらとゞめまじ。女のわらは共義仲殿を伴ひ。姫がでんにて閨(ねや)盃御馳
走申せと宣へは。女房達口々に。いざ聟君様おとこへといざなはれ。ほれ〳〵とい（51オ）きり立気も人
のまへ。立兼てぐづつけば。姫君立寄手を取て。申なぜお立遊ばさぬ。自をよい娘と。世の人の偽り誠に
聞なしさま〴〵に宣ひしが。けふ見て驚き後悔のお心か。なふ恥かしやと袖おほひア、是々。罰のあたる
事云て下さんすな。美人と聞たは物の数ならず。あんな人を妻に持かと思へば。武者ふるひさへせぬ義仲。
めうがなふて身がふるふ申舅様。御苦労ながらみぬ顔なされて。皆もあちらむいてたも。其間についと
（51ウ）行たいと。恥かしがれば。
それ聟様の仰ぞと。皆ねぢ向てサアもふか。イヤまだじやサアもふか。イヤまたじや。もふよと掛入障子
の内。御階(はし)の下や伝ひけん巴御前すつくと立。互に引合手をもぎはなしつきのくれば。さしもの木曽殿ぞ

つとして。ア、わるひ所へよふきたと。手持ぶさたにみへ給へば。人々立寄姫君にけがさせまじと押かこふ。

がまんにつのる木曽義仲。ヤアきつくわい也巴。茂子の君と我縁組ねたんでうせたな。むさいしやつ顔(52オ)見度ない。かへれ〳〵とどうばり声にらんで。みせてもちつ共恐れず。

其大きいめで。むさい此しやつつらか今おめにかゝりしか。其めをこはいと思ふて一日もそふてゐられふか。しつのめのやうに思へばこそ早十六年のなじみ。よふ茂子の姫と思ひかへさしやつた。しまけてゐそふな此巴じやと思ふてか。悋気しにきたはしたないと思召ふが。りんき計じやござんせぬ。勿体ない法住寺の御所はどこぞ。上皇の御座所焼討にするのみならず。上皇を閉門(52ウ)させましたり公家様方を浪人させたり。あんまりといへば天道のめうがの程が恐ろしさに。基房様中務殿を聞手にして云ぞや。おまへも私もしらね共とゝ様の咄し。お二つの時斎藤別当実盛殿より。わしが親兼遠殿へ。子に養へとてこな様を送られ。とゝ様のかいほうで卅年木曽の山家住。不自由な中で人らしうもり立。今大将軍にはたがしたと思はしやんす。此度平家追討の院宣を蒙り。都へ上らしやんすに付ても。必々身をへり（52オ）下り。天子上皇を大事にうやまい。平家を亡し絶て久敷源氏のお名をお上なされとこそ申たれ。上皇をくるしめ。天子にお成なされと申たか。御異見云がきつくわいとて。兄兼平殿は打擲にあひ行方しれず。悪事に悪をつみ重ね。やんがてお身の上にむくふてこん悲しさに。おいさめも申たさ半分は。りんきの心もないじやござんせぬ。わしが様な者を妻よとたいて御寝なつたは。すくせのゐんぐわと思召外の女のそばへは。いかな〳〵よせる事でもござんせぬ（53ウ）。サア〳〵大事のお身お帰り遊ばせと。取手を取てどうどなげ。よは腰を五つ六つふみ付〳〵。

ヤイ儕が親の兼遠。此義仲を養育せしは家来の役。主人の忝さなん共思はぬ。ヱヽ人中でにつくいやつ。さなくは折々情掛んと思ひしが。悋気づらが見ぐるしい立てうせふ。今迄だいてねたふせうに。ま一つふんでくれんずとふみ上る。足首をむずと取アイタ、、、。ホウいたや〳〵。はなせめらうめはなさずは一打と。ふりかへる身に足をかせ。又しめられてアイタ、、、。ゆるせ〳〵とはら〳〵涙（54オ）めがふとければ涙迄。人にすぐれて節分に鬼まめ打がごとく也。

基房かんじ入給ひ。巴とやらん頼もしき諫言。誠忠義の心を持ば義仲にたいじやうこはせ。以後を急度たしなませよと有ければ。義仲はぎしみヤア老ぼれめ。其おとがいはりくだかんと。たけりかゝる鼻の先巴つつ立ひぢまくり。是まだ我儘なさるゝかと。首すじしつかと引つかみ。小妻ほら〳〵もみのゆぐ。もれ出る足こぶら。びどろに雪を入たる景色。引立〳〵ゑん先に。苔むす石の手水（54ウ）鉢かた手に引上板椽の。上と下とに板と石。そつとはさませ置髪の面目共に砂まぶれ。此髪を石にしいて何とする女めと。しやくればけつく我と我身ふしいためるかしらぐさ。ヤレ髪がぬける坊主に成。あゝ悲しやくるしやと。はたらく物は口と手と足ずり。するもよいきみと笑ひをつゝむ女房達。太鼓の紋の巴より。末世にひゞく大力見るに身の毛もよだちけり。

巴手をつき。此上は妻のとがめも軽ふ成様基房公の御情。何成共天下の嘆き。上皇の御くるしみに成事を仰出（55オ）されたいじやう尤。お心のまゝと申上れば。基房御悦喜限りなく先何よりは上皇を。五条のごくやより出し奉るかそれ聞たしと有ければ。義仲さま聞しやんしたか。サア上皇のお身を。自由になさるゝかなされぬか。返事次第で此上に。仕様がござんすとうでまくれば。ア、御自由にいたします〱。跡でいやおふ云せぬぞへ。実正そふでござんすの。誓文くつされ。何の偽り申ませよ。それ〱中務謙（けん）仗兵士（じやうへいし）に云付。木曽が赦（ゆる）しと断つて是へ御幸（みゆき）なし奉れ。畏て悦びいさみ掛出る。

まだ（55ウ）有〱。四十九人の官職をけづりとゞめし月卿雲客。もとのことく官位に戻すかそれ聞たい。サア義仲様聞しやんしたか。アイ承りました。四十九人はおろか。百人でも御勝手次第。そりやこそ是も赦した目出度と。各いさめばまだ有〱。自今以後基房が姫を妻にくれと。云か云ぬか巴それも聞てたべ。

いか様是は此巴も。ついでに念の入所義仲さま聞てか。此返答はといへ共ぐづつき。詞ゆうよしみへければ。ムウ扨はがてんがいかぬかへ。こちやそんなら仕様が有と立上れば。ア、何が扨〱（56オ）。重てふつつり申ますまい。そりやこそお姫様もふ楽じや。あぶない天子の常器皿（ちやうぎざら）。疵物（きづもの）にせふとした嬉しや嬉しと女中の悦び。そんなら此巴を。もとのごとくかはひがつて下さんすか。ア、かはひがらいでなんとしませふ。馴染じや物。ア、かはひゝ人やの。早ふ此石のけてたもと泣声半分いぢらしゝ。いや〱とつくりと骨身にしませ。重ていぢむぢないやうとすねはたばつてうごかぬ所へ。義仲の館（やかた）より息を切たる早使。只今沖津（おきつ）の宿より早打参り。義仲公の討手として（56ウ）。蒲の冠者範頼源九郎義経。六万余騎の勢を引具し鎌倉を打立との。注進也と呼はる声。各はつと驚き給へば。義仲弥身をあせり。巴聞てか。鎌倉より討手かくるといの。早ふ爰をゆるめてと。云より先に気はせけ共。せかぬふりにてそれ申さぬか。頼朝を敵に持果は何と遊ばすぞ。弥心の直し時がてんかへ。ア、是にこりぬ者がたがあらふ。

とんと性根を入替。只今からは仏〳〵。いや〳〵仏廻り遠い。そんなら正八幡大菩薩。弓矢のめうがにつき果ふ。なふ（57オ）それでこそ千秋万歳。誠にお心直りしかと引のくる。石より早くすつくと立。めつたむしやうにねめ廻し十面作つて無念顔。まだ直らぬかとふり上る。石よりおもき討手が大事と一さんに。走り帰らるゝ。

中納言光高卿する〳〵と走り出。子細つぶさに承る。万一今日巳御前参らずは。御息女を義仲にめあはせ給ふか。立帰つて何を奏聞せん勅答あれと宣へば。ずんど立てかけたる太鼓打ならす。合図と覚しく姫君のしとねの下。付出すやりのほさきは薄。日陰にかゝやく。刃の光り（57ウ）。

光高卿あれ見給へ。是こそ愚老が勅答ぞや。姫をゑばに義仲をつりよせ。寝所に入たる折をうかゞひ。合図に突出す此やり先姫もろ共。義仲を害せん我手だて。義仲も運つよく助る姫は猶仕合。折よく巴がはたらきによつて。一先上皇の御くるしみはすくふたり。此旨ついでに奏聞あれと。宣ふ所へ上皇中務を御供にて。ごく屋をのがれ来らせ給へば。四十九人の月卿雲客。皆々助かりあつまり給ひ。二度君を（58オ）拝しつゝ。皆一同に声を上。千秋楽は民をなで。万歳楽には命をのぶ相生の。松殿の知謀（ちぼう）の程。天晴天下に一つ巴。かさねておいとま給はれば。左（リ）巴や右巴。うやまひ廻る三つどもへ。かへる巴は波の紋。四海浪風なみならぬ誉（ほまれ）を。末世（まつせ）にとゝめけり

第三

三味線の。三筋の町の糸しめてだいておよれと一ふしを。のせてうたひし。かりふしの。伝へて今のうきふしや。川竹と云勤より。すへには（58ウ）恋の。淵と成。流の里に。およぐとは。ぬれよりおこる名成べし朱雀（しゆしやか）の色に。あかねさす。朝な〳〵に送る客夕べ。〳〵に。待人もまたれぬ人も。行通ふ。

うかれぞめきの。賑はひやわきて名高き此里の。しづかといへる太夫職。あすは根引の里離れ揚屋〳〵を暇乞名残の道中一しほに。別れの酒に色添て。紅ゐ匂ふ。玉芙蓉(ふやう)花の。あゆむと人やみん。取まかれてぞ帰りける。

それお杉殿太夫様のお帰り。まつかせ迎にたいこの頓(とん)七。おめで（59オ）た酒に長居していぬる足を幸に。人一番にとんで出家内さゞめくていしゆが機嫌。ヲ太夫殿戻つてか。暇乞の先々も嘸めでたがりませよの。帰らしやれぬ内早方々から悦びの送り物。酒よ肴よ台所はふみすべる。忝い。是迄大分の金銀はもふけてたもる。年ンが明たら家屋敷に千両そへて。神ンぞしつける気で有たに。所を見受で又もうける。そもじは我等が白鼠。此後も甲子の日には。豆の飯備(めしそな)へて大黒様とお影は忘ぬ。ナント頓七そふでないか（59ウ）

大名大黒舞

いかにも〳〵。惣じてくるはの色様達ならび立た大黒舞。よねをふんばりお客を見て。庭をはくつちをだかへてきげん袋。ことにもつて静様。大黒舞を見さいな〳〵と。そゝり出せば万作も。めでた酒のよいきげんこりやできたとあたり成。すみ火のきへし火のし二つ。だき合せてがらつかせ紅裏かへしてなげ頭巾。けはひ坂や（60オ）大磯ではやると聞。大名なよせの大黒舞拍子がてんか頓七と。そくざにもうける大黒。福大黒見さいなめでたいな大黒。めでたいの大黒やはやれ大分。入こむ客衆は誰〳〵といばら左衛門朝込の。浅利の与市はつよ弓のはり有ル上にだて一家。現銀遊びは小玉とう。金まきちらす畠山。帯の名越は。起請書。千葉北条は実遊び。和田はひらじいもるさゝ木。げこに島津のあまいずき。佐藤う（60ウ）さみは今様を。謡ひて鼓。うつの宮。うつの山べのうつゝにも。夢にも通ふ世の中は。誰ぞにほれぬ。

人はなく。あいきやうたしなむ。立ゐ迄都。生れは詞付。小山の判官そぎ袖に。留るはきやらの香高橋
上せよいのは山の内。けはしき契もたいらくは。ぬからず君にあい沢を。待兼山の郭公。いかに扨旁。
残らず女郎請合し。五十四紋日陸奥へ。引舟に付ク梶原の。こぼす酒論賑は敷。此里はんじやう吉相馬工
藤。祝ひてめで度ィの大黒。舞と祝義ぬ（61オ）

扨も旦那は拍子きゝ。すぐにかへる所を一腹へらした大黒舞。是からはどこぞのお客へ推参し。したゝか
夜食のあばれぐい。大食舞はむさいなとはづんで走り帰りける。

ハ、、、。ハアほんにめでたい任せにあほうさわぎ。かんじんの義を忘れてゐる。なふ太夫。おくに身
請の金持てお出なされたは。手代衆そふながおれも今まで側にゐました。そなたに逢た上で金渡さふと待
てござる。サアちよつとゐてあいさつ云てたもと。たつみ上りの高調子名さへ静（61ウ）にそへかけて。

[ウ]酒がせ[色]かせぬもつれ口。[詞]ハア旦那さま。いかいでも大事ござんせぬ。腹立て受出さゞまゝいな。一生けいせいをゐぐさりにする計でござんす。ア、是々コレ太夫。かりそめにもそんな事いやんないの。此身請をうすにしてたまる物か。でも旦那さま。おまへの内義様をよばんした時のめでたさは。こんなことではなかつたれど。一年の月日立や立ず。つい死でのけさんした。それを思へば。かふ云わしが今此座で。身請の金受とらんせぬ内に。ころりと死ふやら。気にはかけさんすなじやが。おまへ（62オ）がほつくりとやらんしよやら。誰がしつた者がござんする。ア、ほんに。人の身程はかない物はないわいの。[中]なふ杉殿とめま[ハル]ぜして。ほろりとなけば[色]がてんして。[詞]それいな。世上のたとへにも雪置松のむづ折とて。旦那さんのやうにひふまん〱のつよそふに見ゆるお方が。ゑてがつくりとなされたら。[中ウ]悲しい事で[ハル]ござんせよと袂を顔に押当て。[ウ]泣ふりすれば。[色]ヱ、いま〱しい。[詞]太夫たしなみや。杉よ。われやおれが殺したいな。われにはおれがとふからいきついてゐるはい。さい先のわるいこと云ず共（62ウ）。みれば太夫の酔てじや

そふな。あすは門出酔の覚る迄。太夫のきげん取てくれ。頼んだぞよ。おれやお手代衆の側へ行。清見側を離れるな。爰にゐたら此上に。何を聞ふもしれまいとつぶやき〳〵入にける。

サア太夫さまいぢわるは奥へ。最前のめまぜ心有とみた故に。共に気にかゝる様に申せしが。其お心はと尋れば。静しみ〴〵と立よりて。いつぞは〳〵と思ひ暮せしも。今宵一夜の名残につゞまり胸の内か咄したさに。旦那さまをまかふ為きらいの死る事を云ならべ。酔たまね（63オ）もするめまぜもする。先何から云ふやらこな様の爰へござんしたは。去年のくれ此清見とは跡先。人こそしらね親子ゞとは此静は見て取た。いたはしや平家のおゆかりにて世を忍ばせ給ふか。いづれよし有御かたと思ひし故。念比にしもすりや云ても下さんす。私も又親腹からのさもしい者てもござんせぬ。長ふ短ふ二腰さいた兄も有。まさかの時は詞の力と思ひしも反古と成。請出さるゝ嬉しさとおまへに別るゝ悲しさと。二つの涙を両のめで泣わけていたわいな（63ウ）。したが気を慥に持しやんせ。誰にも云ぬことなれ共こな様には打明る。わしを受出す大臣。三条の金商人吉次殿とは偽り。誠は此度木曽殿の討手として。鎌倉より忍んで上らしやんした。九郎義経様と云源氏の大将。御所方の思はく兄ご様への聞へを憚り。堀川辺にかこはれてゐる約束。後々はこな様の事も云こみ。便りに成気でござんする。堅ふ隠しつゝむこと打明るがやのしんじつ。是でたんのふして下さんせとうらなき詞心の色。杉は嬉しさ詞より。涙ぞ先にめにも（64オ）れて暫とゝめ兼けるが。

傍輩（はうばい）は何十人誰が一人そんなこと。云てくれる人もなかりしに。さすが源氏の大将に思はれさんす程有て。静様忝い。成程おめきゝの通り此清見は私が娘。夫にはあかぬ別れけんじにもしるべ有。平家にはしたしみ有どちらを敵共みかた共。かたつりならぬ身の因果。此子故に捨もやらず色里は世の乱にも。恐れなしと聞に付金にかへねば。勤はさせぬけいやくにて当分のやとい禿。娘か命の置所。つゞいて我身も此奉公。主と客とのきげん取。くるし（64ウ）みも娘と一所にゐる楽しみ。かくても世の中しづまる迄爰にと思ひ極めしが。頃日はけしからず親方が女房にせん。妻になれと付廻すいやらしさ。爰にも足は留られず行先とてもあてないみ。かんまへて義経様へお噂はいらぬ物。あれ人音がする先奥へ。申聞た事云たこと。そつちもこつちもさたなし〳〵。是杉殿あすや。太夫様あしたへ。清見こいよ。あいとそらさずさらぬてい。静は奥へ入込の客も。帯紐時のかねかう。〳〵とこそ聞へけれ。

杉はとほんと。只一人（65オ）何を思ふと人とはゞ。何と答へん子の行末身のこしかたを思ひやる。涙に火入の火もきへて。きせる力のひたいづへかたふく顔とがん首と。向ひ合たを伽(とぎ)にして。胸に有たけ思ひ出し泣て。心を晴しける。

おくの襖をおしみ明。そつと指足ぬき足は親方の万作。ホウお杉まだ爰にか。毎日毎晩憮草臥(くたびれ)で有ふの。太夫が見受の金もたつた今首尾よふ請取ました。次第〳〵に商の拍子はよし。金銀はつかみ取。しんだいのよふ成に付。弥そもじに兼々の無心。どふぞ今宵聞てたもと（65ウ）立よれば。あれ〳〵旦那さま。さもしい事さしやんすと声立るぞと突退（つきのける）。其手をとらへ是お杉。其声がかれうびんがの様で。身にしみ〳〵と猶いとしい。ハテよふがてんしてみや。女房持た万作がほれたといはゞ。うはき共なぶつて共思やる筈。女房はなし子は持ず身すがらのこわい者なし。そなたを女房に直すに誰を遠慮たがしかる。誓文くつされ。万作がお内義さま。〳〵にするはいの。ハハア。又下帯をあらはにやならぬ。ヱ、つんと〳〵。な びいてたもと引よする。是わしには夫が有（66オ）。ゆびさゝんしたらむつかしかろ。サアはなしやらぬか。はなしくさらぬかと。身をあせつてもゆるさばこそ。是君奉公におじやつた時。夫の有なしも聞て置ました。なぜうそをつきやるぞいの。いやでもおゝでも我女房と。男力によはがいな離れず離さず付まとふ。

折節襖さつと明禿の清見つゝと出。お杉殿爰にかや。太夫さまのと云声に。なふ恥かしやと袖おほひ。赤らむ顔のはぢもみぢきへも。うせたきふぜい也。

万作清見を引とらへ。ヤイちよつほりめ。まそつとで一太刀恨る所折（66ウ）悪ふうせたな。儕と杉は親子と云こと。此め高な万作がしるまいと思ふか。今の世にたゝずみのならぬ。平家方のゆかりとはとつくにらんだ。切てもはたいてもおとがめのない親子がからだ。万作がしたいまゝ。ヤイ杉。儕がつれない心のむくひ。此娘めをどうするぞ待てゐよと引立る。なふ暫と引とゞめ。包隠すと思ひしに見顕はさるゝ親子の中。今更何と偽るべき。成程清見は我娘。ふびんさにこそつら恥をかくうき奉公するぞかし。親のにくさを子にたゝら（67オ）れいか成つらさ見せやせん。此子もおまへの子と思ひかはひがつて下さるなら。わしやどふ成とゝ計にて身をなげ。ふして泣ければ。清見はとかふの詞もなく。親の身の上身の悲しさ共にたへ入計なり。

してやつたりと万作。かたほにゑくぼかたほに十面。いや〳〵あんまりおれやうが早過る。のみこまぬといぢばれば。なふうたがひ深い此子を殺す法もあれ。此誓言でもとくしんないか。ヱ忝い。サアかゝ寝やう。ヲたしなまんせこちの人。それ娘が。アほんに見ている。そん（67ウ）ならとふせよ。コレいてねて待ていさんせいの。お客さまもかた付下々もねさせてから。ヱ、忝い。そんなら寝所あたゝめて待てゐる。早ふおじやゝ。ヲしんき行わいな。ヱ忝いく\と。ハルいさんで帯のウ結びめフシをはやときかけてぞ入にける。中ウ親子はウ泣もなかればこそ。ハルサア／＼大事がせまつた爰ウにはへんしもたまられぬ。命限りにぬけ出て先は火に入水に中入。ウそれや其時の一分別ハルこはひことも何もない。母に任しやといだきよせウ小妻りゝしく引上て。からげのウすその短夜なら（68オ）ぬ空も。我めもかききくれてウ共に朧の秋の空。娘の手をウ引さし足し。中あゆむ畳のハルめやウ覚ん。人の聞かと我とわが胸にこたゆる色人声は。なむ三はう中下女のおふく。はつとためらふハル其内に。詞お杉殿そこにかへ。ヲ爰ハルにじやフシと云声のふるひハルわなゝく計也
色是はしたり。詞お杉殿何としてふるはんす。中ウおこりでもハル病んすウか。男衆おこしてお医者様。よびにと行を
色是々おふく殿。詞おこりでも何てもない。こなたはこはい人じやの。それで此様にふるふはいの。アお杉殿

何がいの。何とは（68ウ）こなた旦那さまにほれてじやげなの。ヲけうとあのうそはいの。是うそとは云せぬ。たつた今旦那さまの咄しに。杉よ聞てくれ。あのおふくがおれにほれているげな。おれも兼々ほれてゐる逢たり叶ふたり。押はれて女房にせふと思へ共。こちから云掛るはかくが古い。どふぞ今夜おふくが方から寝所へきてくれたら。すぐにあす女房にするそちきもいれと云しやんした。其事咄しにたつた今行所へよふござつたの。此家の主に成ことじやが。今夜お寝（69オ）間へいく気はないかへ。ヱあやかり者めとすかす間も。おくに待兼亭衆が声。杉よなんとこぬ事かい。たゞし女房に持を疑ふか。どふじや〳〵とせはしなさ。あい〳〵そこへと云紛らし。サアおふく殿あの通り。いやかおゝか返事はなんと。そんなら爰のお内義さまに成かへ。何のいやで有ふぞいな。此様なめに逢ふはしか夕まざ〳〵。金山へ上つて松茸ひらふと夢にみた。そんならおね間へいこかいなと。云間遅しと万作が。ねやをそろ〳〵起出る音。杉はさかしく是旦那さま（69ウ）。なんぼ思ひ思はれても互にかほみりや恥かしい。そこの燈火もけさんせ。爰のもけしてくらがりで。こそ〳〵と行たいとやらるゝとほのめけば。こりや尤と云声の。あなたにしめせばこなたにも。共に吹消(ふきけす)燈火の。やみはあやなしてらくらまぎれ。杉は襖をそつと明。おふくをそなたへつきやればサアしてやつたと万作が。ひつたりだき付其隙に娘が手を取わにの口。くつわをのがるゝかけ馬や一さんにこそ落て行。

跡は二人が。もつれ合。ア、またんせな旦那様。帯とくはいなと（70オ）云声に。そちは誰じや。ハテわしじやはいな。ヤアおふくか。なむ三宝深い所へいてのけた。ア、うるさやと逃出れば。是旦那様そりや聞へぬ。いやでもおゝでも寝にや置ぬと。しなだれかゝればなふ悲しやとぬけつ。くゞりつ漸と逃て。奥へぞ

三国一じや酒に成すましたしやん〳〵。しやんと盃お取りなされ。是程の馳走大酒もり。近年のまやり振廻に覚へぬと云舌も。廻らぬ月も盃も其夜もいたくふけにける。

詞是と云も久介の働(はたらき)がつよいから。御太義〳〵。サア〳〵何茂（70ウ）お先へ立まする。何御亭衆わるさが見へぬがもふねてか。すこやかでよい子じやと。村中がほめ物大事にかけて育(そだて)さしやれ。最早か丶るもまもないと。ついしやうたら〴〵口上ばるは庄屋とじ右衛門。村中つゞいてどや〳〵と礼もそこ〳〵千鳥足。○中亭衆久介火燭して何のふぜいもない御酒を。よふ上つて下され忝いと。女房諸共門送り。△詞ハテゐんぎんな久す。内義はいらしやれ。したが云て置ませふ。此振廻は正五九月家並の廻り番。又廿年もせにや廻つてこぬ。其内に随分かせきため（71オ）重てはいつかどの御馳走に成ませふ。なふお内義。亭衆の酒の覚ぬ内寝て。花々とたはふれて皆々へ家路に帰りける。

○詞なんとか丶。庄屋殿も大きげん打揃ふて見事酒。五升樽が二つこけたの。よい〳〵此空のけしきあすは雨。上りよ下りよははねがはへてかごはとぶ。一日はたらけばつい戻る。情出して命の息杖。早ふ寝てとうから起てもふけふと。みやる向ふの田のあぜをおい。〳〵〳〵と女の声。扨は旅人のくらさに道を踏(ふみ)迷ひしか。こりや海道は左の方。こちら〳〵と心付教るに随ひて。漸（71ウ）走りくる人を。みれば女のかい〴〵敷おさなき娘を介抱（かいほう）し。顔うろ〳〵と息せぐめき。どなたかはしらね共跡より追手が掛らふと気遣し。影をかくして下さんせ一生の御厚恩。ひとへに頼奉ると世に便りなき其ふぜい。ならぬと云も情なし心へた共云やらで。夫もとうわくせし有様　女房おつ取。いやなふ久介殿。此道筋に家並立ならんだ其中に。こなたやわしが門口へ出合せ頼るゝと云ことも。他生の縁では有まいか殊になりかつこう。大事を仕出しそふなお方共思はれず。ハテ子細を聞ていやならばいやと（72オ）云。品もやうも有ふこと男は何事もむつかしい。こなたは何もしらぬ分わしや頼れておかくまい申さふと。思ひますると云ければ。　ヲ、女房よふぞ〳〵気が付た。おくの間へお供してお身のうへとつくときゝや。品によつて此久介お為にも成兼まじ。先々奥へとすゝめ入我身は門口しつかと閉（しめ）。かけかねくろゝに心付先息次と茶釜の下。折たく柴のしば〳〵も気をくばつてぞゐたりける。

程なく女房奥より立出。聞た〳〵久介殿気遣ない。欠落はかけ落なれ共追手のかゝるわけでもなし。なんの跡（72ウ）腹病ぬこと。鎌倉には歴々の兄弟衆も有行度望み。上方筋にはゆかりとて立寄方もない身の上。おさなきは娘子夜道に草臥。親子共に取繕寝させまして参りしが。こな様へもくれ〴〵手を合しての頼み事。便りない物語誰しも流浪はつらい物。力に成て進ぜて下さんせいとしいことやと語る内。夫は小首かたぶけて。眉をしはめつといきをついつ。独うなづく心の内。色にみへねば女房も立兼て共に。心をくだきゐる。

○やゝ有て久介櫃押明。たしなみくちぬ金作りの太刀取（73オ）出し。女房是へと小すみにまねき猶もさゝやく一大事。よふ聞と耳に口アノ娘と母親をコリヤ。かう〳〵してな。かふするがのみ込だか。ヱ。親を殺し娘を売のか。ヤレ声高い〳〵。上方にはゆかりもなく立寄方もなしと云。是久介に天道のたま物。不便には思へ共親を殺し。娘を朱雀の遊女にうらば。五十貫の料足は手の内とかく云間に。夜明人にしら

れては日比の大望ひなたの氷。たつた一刀に親を殺し。すぐに娘をつれて行。せど門にきを付よと太刀抜
はなしつか〳〵と。ふん込足を（73ウ）すがり留マア。待て下されと。漸引すへ夫の顔見上て涙ぐみける
が。
日比の大望をとげる為とお詞の。先を折ではなけれ共独ならず二人まて。殺すくるしみ生てのくつう思へ
ば。あんまりむごたらしい。けつく報ひてすへ〳〵の。かいに成まい物でもなしあの衆の事は思ひ切。今
宵爰へ何者もこぬ昔と了簡し。何ぞ又よの事で望を叶へて下されと。そゞろふるへば　はたとねめ付。扨
は儕不同心な。ヱヽひけう者みれん者。こなたの手にかくる迄もない親はわしが手にかくる。夜の内に娘
をかた付（74オ）本望とけよとこそ云ず共。あたみぐるしい何のほへざま。娘を売て料足さへ手に入ば本
意はとぐる。親を殺す不便とは。我心にもしつたれ共。生置てはことの破れ。前後を弁へぬ久介にあらず。
是迄夫婦が剣を渡り火をふむくるしみ何の為。此幸を取はづし。主も夫も埋れてくち果せか。よい〳〵其

根性ではつぼみの花の枝折ごとく。迚御運はひらけまじ生てゐる程ごうさらしと。刀追取既に自害と見へ
ければ。女房あはてア殺します〱。こな様は娘をかた付。本望（74ウ）とげて下さつたら。なんばう
嬉しうござんしよと声を忍びて泣いたる。
〇詞 其詞違ないな。それでこそ我女房満足〱。併親を殺す体子にみせては後日のさはり。我は娘をつれて
行跡でしまへよ。ね入たる者を切は鯛鯨料理するも同事。必せくなしそんずなと。太刀なげ渡しふん込ま
ねの打とけて。草臥ふしたる親と子の。いか成つらき。夢や見ん。
なんなく娘をいだき取。口に手をあてひんだかへ。心落付身の取廻し　〇教る顔に気を付て。泣々女房門の
戸（75オ）明ればぬつと出。かけかね掛て。しそんずなと云捨〱てこそ走り行。
跡に女房門の口しめても思ひ。しまらぬ心。殺せと有も主の為に心をつくす夫もいとし。殺さるゝ人は猶
いとし。殺さず助ず望の叶ふ。ちゑはないかととふ人も涙に。かきくれみへけるが。ア、仇も恨みもない

人殺されぬ〳〵。てんほ助て落そふ。かいや〳〵助ては後日の大事須弥山(しゆみせん)に掛くらべても。おもきは主命
夫の命なんのまヽ一思ひ。害殺(さしころ)してのけん物と心も帯も。引しめ〳〵裾こみじかき夜明比。残（75ウ）せ
し夫の一腰を取てさすがに武士に。枕並ぶるかい〴〵しさ障子細(ほそ)めにつヽと入。けがすな我子大事ぞと外
へ押出す寝返りの。拍子に障子ぐはつたひしあをちに。燈の。火も消たり。
心へたりと女の声。懐剣の九寸五歩ひらめく太刀をこと共せず払つ。受つ一間の内おどり出る其隙に。
子はおとなしく燈火さげ狼藉者とかけ出る。扨は追はぎ盗人の家で有たな。それ共しらず情有詞にほださ
れ。心をゆるせし後悔さ。我子はいかにとめもおろ〳〵あたりに（76オ）心をくばりける。
ヲ、盗人共追はぎ共いや。そりやお天道が正直かまはぬ。其尋にやる娘子は。たつた今遊君に売たはい
の。ヤアと驚き。立さはぐ身に　切先を付廻し〳〵。人の娘を我儘にうつたり。咎ないそなたを殺さふ
と思へば。我と我手にさへ驚かるヽ。そなたのが道理〳〵。夫の得心ない物を。頼もしくかくまふた此女。

其時の魂も今殺さふと云魂も。魂に替りなけれ共大事の〳〵。主人の為に殺す命。嘸おしからふ悲しかろ。去ながら過去の因果と明（76ウ）らめ。尋常に殺されて。主人さへ世に出給はゞ娘子は。高家方の妻共なしそなたの為には。千部万部の経だらにふたいてんのお念仏。請て恨を晴てたべ。サア夜明も近し最早夫も帰り時。早ふ殺されてたもいのと。語る袂も聞袖も。因果〳〵の悔み泣わつとさけびてふししづむ。

折節久介立かへり。我家の内も心から。忍びうかゞふ女の泣声外にたゝずみ。聞共しらず旅の女。フム盗賊とこそ思ひしに。主の為とはまだしものこと云た。我も名有武士の娘。品に（77オ）よつて切ぬけもせふ命もやらふ。して其主の名は何とな。○いやこしやくなそなたが何の武士の娘。杉と云て上はたらいたくるはの女。最前とつくと聞て置た。武士と云たら助ふかひけうな偽いやんなと。云れて弥涙にくれ。名のらじと思ひつめたれ共。いやしい女と跡々迄さげしみもみらいの迷ひ。子細有てかくしつゝむ名なれ共。云て聞せふとつくと聞。忝も我親は。比義の庄司盛廉と云源氏普代。今鎌倉には藤九郎盛長と云兄も有。ヱ。すりやお前（77ウ）は平家の侍弥平兵衛宗清様のうもじさまではないかいの。フムそれをどふしてしりやつたぞ。殺しましたらよい物か。私は磯の小文次常春が女房でござんすはいの。ア、またしやんせ。そりや小松さまのおみだいさまの奥家老。磯之前司さまのお娘子でないか。それ共〳〵さうでござんす。是は〳〵小文治様のかもじさまかいな。我つれ合宗清殿は池様に御奉公。こな様のおつれ合は重盛様に宮仕へ。同平家に仕へても。出合のない奥方どししらなんだ。私もしらなんだ。したり〳〵。ふしぎな所で逢ましたと。互にしみ（78オ）〳〵。膝。とひざ。是に付ても上々様の御行衛。心づくしの果迄も流浪遊ばすいたわしやと。又改る咄しにも先達。物は涙也。

○中ウ 表に音ない明よ〳〵と夫の声。嬉しやお帰りなされしかと。明る間遅しとつゝと入。最前より表に立子細こと〴〵く承る。世に恥か敷御対面まつひら〳〵。弥平兵衛と離別の段かくれなし嘸御難義。平家の縁を離れ源氏にゆかり有御身の上。便に成筋はなけれ共昔のよしみ。鎌倉へ送り届申分はお力に成申さん。

御馳走は申さず共心安ふ御滞留と。△中ウ聞間も心落付ず早ふ娘に。御（78ウ）逢せなされて下さるが何より
の御馳走と。云れて小文治顔に火をたき。実御尤〳〵一走りに立こへ。同道して帰らん扨々面目なき仕合。
御免〳〵もそこ〳〵に立出んとせし所へ。△詞かごかきの久介は爰か朱雀より参りしと。男女前後に付まと
ひかき込畳の打臥て。早片息の子共のしがい。お杉殿爰にと聞てきたはひの。ヤア静様ではないかいな。
○
何静とは妹か。我こそ小文治常春よ。△こは兄様か是は〳〵。なつかし共悲し共。先是此子と計にてどうど
ひれふし泣きゐたる。
○中ウ詞のはし〴〵心ならず立（79オ）寄て衣引のくれば。娘の清見ふへのくさりを切そんじ。なやみくるし
むていたらく見るにめもくれ気も狂乱。是なふ娘が死るはいの。助てたべなふ人々とわつとさけびふしま
ろへば。○ハル常春も驚きさはぎ。みれば見かはす女房もあきれ。果たる計也。
△中ウ静御前に付そふ男すゝみ出。我等三条の吉次信高が口まねも致す者。源氏の御大将義経公の仰によつて。

静御前を身受致し則明日朱雀を御供仕る為。泉や万作がもとに一宿仕る所。此娘座敷へかけ込。某が一腰を以此体に及。主万作申（79ウ）は。此娘義は此方を欠落の者。然るを最前久介と申者。金五十両に此者をかゝへくれよとつれ参る。早速せんぎ致さんと存しか共夜中と云。静が身受に取込し故先押だまり。久介が所を聞置。金子は明日渡さんとかへせし也。然ば一旦此方を欠落者万作は存ぬこと。つれ参りし久介に対談せよと我にぬつて出合ず。有増を承り静御前のお供して。是迄参るも時の不証息有内に子細を聞。我々の越度ならぬわけ御亭衆頼存ると。〇中ウ 云を聞にも常春が。ウ 咽（のんど）に剣（80オ）を捻込思ひ △ハル 母は泣々いだき上。疵はあさし所もよし。ウ 云がひなや母が子ならずや思ふことを云てしね。ウ 誰を恨の自害ぞやとかきくどけば。フシ たへ入気にも。母の声。

中 聞を力にめをひらき。色 情なや爰の主が。詞 我をつれ行家こそあれ又本の親方の所。欠落したる咎人。かゝ様をとらへ次第一所にならべて。首を切と云た時の其悲しさ今こそあれ我も名有侍の娘。やみ〳〵と首はきられまいと思ひ定て此自害。万作がとらへぬ内。か丶様早ふ逃て下され。ア丶いたいくるしい明暮のお詞に。私を力そな（80ウ）たを便りと宣ひしが。今しんだら誰を便りになされふぞ。憮や力が有まいと。それが悲しい〳〵と母をみるめもまた丶きせず。次第によはる声のあや。もとは我身の誤りと小文治が身のふし〴〵。しめ木にかくるごとくにて涙。きこつをしぼりしが。

ヱ丶我も人も背くまじきは。智ある人の教への詞我なま中に忠臣達。主君の詞を背きし今のくやみ宗清の奥方。聞て恨を晴てたべ。主人小松殿。御所労の砌潜に某を召れ。重盛が此度の病。熊野権現に祈りゐたれば存命（81オ）限り。我世をさらば見よ〳〵源氏の為に責破られ平家は滅亡。末代に家名を残さん事かたしと。末期の御一句今此時。兼て御不便を掛られし妾。さゐだと申せしは我等が今の此女房。折しも小松殿の御種を懐胎。我妻も女子を産で此世を去。やもめの某さゐだを宿の妻とせよ。懐胎の我子女子ならば汝が子とし。男子ならば赤旗を添ちまたに捨よ。ひろいとらん人馴なじまば。たとへ源氏の世に成ても命目出度末代に。平家の種を残すことはりと（81ウ）御遺言を待も程なく平産のお子は男子。院に捨参らせんとしたりしが。臣として君を捨るは道ならずと指当る理に迷ひ。我娘を替りに捨誕生の御若君。捨たりとあざむき若君を我子として。育(そだて)しは此辰若。本トは内府重盛公の御公達。かくあらはに申上るは恐れ有。いざ此方へと御手を取。上座に復し参らせて。

奥方も昔の主君妹も拝し奉れ。十一才にはおとなしく。御一門の御身の上源氏時ゑたりと聞し召。我をも西国へぐして行源氏に向つて一軍と。明暮是（82オ）をのみ御諚有。源氏に弓引んも。西国へぐし奉らんも永々の浪々。貯(たくは)につき果御きせなが一領太刀一振。旗一本のしがくもならず。折を待今宵の御出。上方にゆかりなし便りなき身と聞し故。御身を殺し娘を売て其あたひ。若君の軍用に立ん物と。一念にやきばが付。我手にこそ掛ね共あへなき体を見聞事。思へば賢人と呼し小松殿。三世を見通す御遺言に背いたる。主君の冥罰(めうばつ)一向其時捨たらば。ひろひし人の縁に引れ。御果報の身共成給はんよしなき忠義（82ウ）にからまれて。若君の今の御難義。主もけらいも平家につら成身の成果。是程かたのわるさはと。こぶしを握りはを喰しばり男泣にぞ泣さけぶ。

△ハル宗清が妻顔ふり上なふ小文治殿。今の詞は聞所捨し娘に何ぞ又。印がましい物はそへずかそれ聞たい。

〇詞こは思ひよらぬお尋娘を捨しは。十一年以前三月七日。かに取の産着をきせ。母子に誕生の年ッ月を印シ添。かうらせんの守をと聞もあへずなふ其娘は。自がひろい取育上しは此娘。はだにかけさせしは其守見給へと。〇ハル聞も夢（83オ）かと立寄て。うたがひひらくはだにそへ。かけたる守は親子の縁。朽ずつきせず逢たな。そんならおまへは。わしがほんのとゝ様かいの。ハアと計に起直らん。〱ともがく手にすがれば。母の皃残多げに打詠め。捨るとゝ様も有ル世に。本の子でもない物を大事に育て下さんした。其恩も送らずにわしや死ます。アノとゝ様がにくかろけれど拝ます。何事もこらへて進ぜて下さんせ。かゝ様頼上まする。若君様のお為としらば死ずにしやうも有た物。ヱヽはやまつてお役に立ぬ。それがよみぢの

（83ウ）さはりぞやと云息も早絶々に。うんと血ぶるひ手足をあがき。十一生を名残の夜明くらむ。命の燈火は消てはかなく成にけり。

母はしがいにいだき付。仮初なから万作に。此子を殺す法もあれと誓言立し其報ひか。我も共にとこがれなき静御前もしらぬ姪子のうき別れ。女房も血をわけね共我子の別れ。皆身の上にふりかゝる涙を雨とあらそへり。

若君さか敷。ヤア小文治。何事も皆我故。迚ひらけぬ平家の運思ひ切たり。是迄とずはとぬいたる小相口。母はあはて掛よつて（84オ）刀もぎ取からりと捨。ヲ、おいたいけやさすがじやの。是よふ御合点遊ばせや。死だ娘はお主のわしや悲しうもなん共ない。必自害なさるゝな。なふ小文治殿。御夫婦の心はしらね共。重盛様の遺言に任せ若君様を今爰で。捨ふと思ふ気はないかひろいとらせ我子とし。娘が替りにみせてたべ責ての情とかきくどけば。何若君を養育とな。尤々昔捨るを今捨る。ひろいても同人。御遺言も立我武士も立。聞届しと立寄て。若君の御手取渡し。なふ御内室。此末々は善（84ウ）悪共。若君の身の上は御自分にかゝる合点か。ハテひろい上て子にするからは。とふに及ず云迄もない事よ。それ〳〵万かための為女房盃てうし〳〵。嘆の中の悦びぞと。小文治立てゐん先に　折から祝ふ。松と竹。うれいをひらき。仏壇に。備への鶴亀取出し。和卓(くわしよく)におか敷取ならべ。時に取ての。島台と。心は同シ親子の結び。静御前杓取てさいつ。さゝれつ。悦びをのべし君が代のすぐ成道を。楽しめり。

小文治にこ〳〵ゑみのかんばせ。けふあいがたき時に逢。年来のもう〳〵一時に散(さん)（85オ）ず。いで若君への御はなむけと。云より早く太刀引抜弓手のわき腹がはと突。人々是はと又驚天　女房すがり声を上。奥方の了簡にて若君様はかたづく。死だ娘はこなたの子。人のとがめ遠慮もなし。何思ふての自害ぞやと取付刀に力を入。猶底深く引廻し声いきどしくすたきながら。天晴人間の一生程心に任せぬはなし。頃日巷(ちまた)の風節。源氏の大将義経酒に長じ。色にふけり。朱雀の遊君に馴染通ふと聞しを。妹の静とはしらず是。

天のあたふる時節ごさんめれ。静を便（85ウ）に若君を伴ひ。朱雀に忍び義経を討て今一度。平家の栄へをみん物と。しきりに用意の金のほしさ。待もうけたる今宵。手に入たるは娘共しらず。金にもなさずふびんの最期。殊に静は其義経に受出され。くるはのくつうをまぬがるゝと最前聞たる其時の。我驚きはいか計なす事すること左縄。そもいか成運命なれば。藤九郎盛長と云。源氏によしみ有人にひろはるゝ若君。源氏に思はるゝ我妹。何茂天の手を取て平家の縁を引退給ふ。なま中我一人長らへ。平家のけらいを（86オ）持兄を持。いか成かいにか成べきと。若君と妹が為。思ひ過して切腹ぞや。泣な女房。若君のおちうば共成。行末の御介抱奥方くれ〴〵頼入。吉次殿の御けらい。便りなき妹が身の上一しほ御不便有様に。義経公へは憚り有吉次殿迄お取なし。さらば〳〵と引廻しなむとうんとを一息に。力をぬけば玉のおも。共にぬけ出るもぬけのからた水や氷とひへきつたり。

□上
各はつと嘆ても。帰らぬ旅や死出の道。おくれ先立二つのからだ。結べば一つ血筋の糸。嘆乱るゝ名残の袂吉次が従者（じうしや）にい（86ウ）さめられ。泣々急ぐねはんの門出。宵に祝ひし松竹も。はかなき今の手向草。鶴。と亀とを引よせて。ともせば法の燈火の。万代契る島台も暁。千代の名をかへて。袖に涙の三具足埋れ。ぬ名を照しける

第四

定なき。飛鳥川の淵瀬きのふはけふの夢ぞかし。今井ノ四郎兼平が父同名兵衛兼遠は。六十を越て七十に一つたらさる老病に。義仲謀反と聞しより猶いやまさる死出の道。身まかりし由本国より飛脚を以て告来れど（87オ）兼平ちつきよの身にしと云殊に主君木曽殿の。反逆露顕し鎌倉より。討手上ると聞しかば主人はともあれかくもあれ。忠臣二君に仕へずまさかの時は木曽殿の。御馬の先に討死と思ひ詰たるあづさ

弓。引もちぎらぬ並木の松陰の辺に身をかくし。

一木の松の。下枝に。父が形見の鎧をかけ。もに入白衣浅黄上下。儒道を尊ぶ心とて父兼遠。此世にゐますがごとくにて料理手づから折め高く。向ふに急度給仕(きうじ)盆謹(ぼんつゝしんで)而畏り。ア、先お箸なされませふ。お汁に心を付まして。まな鶴に塩（87ウ）松茸あしらひに入ました。こちらに指身がござりまする。此淀川の七年鯉と朝程の引網。堺浦のはま焼も珍らしからず。金花山の小だゝみにて御酒一つすゝめ。御膳はさらりと取まして。宮城野の萩の花後段に上度候と。とふつ答へつ独言殊勝にも又哀也。

かゝる所へ普代の団介息を切て馳参じ。只今往来の者の申通るは。鎌倉勢うんかのごとく野につれ山にみち〳〵て。上ると風聞仕る本拙者重て尋申は。それは平家追討かいか成故と問かへせば。いや〳〵平家は追ての事。先木曽（88オ）義仲を追討の討手也。夫故町人百性迄所を立退さはがしさと。云捨て過行候。尤親旦那の御忌中拠なき御ことながら。一先御越遊ばされ木曽殿の御先途を。御身届候はんやとせきにせいてぞ申ける。

ハル　色　詞
兼平ちつ共驚かず。ヲ、早速の注進でかしたり去ながら。かゝる時節は人々が様々評義する物也。成程討手も上るはしれたことなれど。よもや火急の事も有まじ。多くは京わらんべのさへづりならん。せく
中　ハル　ウ　フシ
なく京を落し付。只今御詰半也。太義じや休めと大やうに少も。さはがぬ其所へ。
中ウ　ウ　ハル　ウ
大坂（88ウ）よりの金の相場一さんに掛来る。折から伏見の方よりも同出立の飛脚成が。是も急の時走り
色　詞
互に行合大坂飛脚。なんと七兵衛けふの相場は。アやくたいもない相場所じやないわい。都へは鎌倉から
中ウ　ハル
責に上ると町人百性。逃て退やらさはぐやら子をさか様とはあのことならん。それ故おれもつの国へ。行
ウ　ウ　フシ
も帰るも逢ことも是迄で有ふやら。さらば急なと云捨て雲を霞と走り行。
ハル　ウ　中　ウ　ハル
兼平きよつとしたれ共今少様子をと。こ廻す向ふに禅門の。年は八十の老の波よるべ。定ぬ身の上を。助
ウ　中　ウ　ハル　色　詞
給へと（89オ）くる珠数も切て草履もかたちんば。是は何国へ行人ぞと団介立出尋れば。ア、ぢいめは都

の者成が。木曽殿の謀反で討手が登。そりや切はやれ切はと。どこ共なしにさはぎ立芦辺のかもめむら〳〵と。てん手に逃て参りますと云て。過行追々に。中々弥五兵衛殿。ヤそろばん屋の三五郎か。おぬしはどこへ逃召る。どこと申て行先に一門はなし銭はなし。かたりはしつけず力はなし。家尻切ふもとりめ也。暮ては誰も森口迄。行たふござるとかけて行。あたふたさはぐなべがかゝ。此月うみ月久太郎町姪が（89ウ）。方へと。急ぎける嫁入せぬ子を羽黒山。おち山伏がかひ〴〵敷。かたに引掛のくも有。鞠やのけんりはけつまづきこけ。つまろびつ走り行。つゞらふろ敷おいめいも待よ。〳〵と泣声は物さはか敷気色也。

兼平今はたまられずかけ出て。ヤア〳〵旁待々々。都へは討手登ﾘ木曽追討故汝らも。命がおしさに逃行となな。して其討手はいつ比と聞し。何おつしやるぞゆたかなこと。早先走りが相坂の関迄みへたと。そは〳〵といらるゝことではない内に。木曽殿は落られた共云。からめさせられた共申。とかく（90オ）世間で申には兼平はどこへ行れた。此人かゐやつたら此様には成まいにと。云者も有かたはしには。いや兼平は鎌倉へ降参をせられたと。口々取々なふこはや。かう云内もうしろから。首切やうなと云捨て皆我先にと急ぎ行。

兼平はつと横手を打。何某が鎌倉へ返り忠とのさた有とや。扨ぜひもなや父兼遠の。忌(いみ)も今五七日の其内は。鳴雷が落ける共爰をさらじと思ひしが。主君の御せんど身届ぬは末代迄の家のかきん。忠義に眼くらきゆへ（90ウ）天人の口をかり。いましめ給ふか有難や。急成時に忠孝の二つは全(まつたく)立がたし。一先お暇給はれと再(さい)拝九拝百拝し。俤にそふ火おどしの鎧を取てかたにかけ。上帯しつかとしむる内。段介馬の口取て引来れば。ゆらりと打乗。手綱かいくりしと〱〱。しつとゝ打て頃日は。馬も休ムか足なみをかたむる腰に鐙を打。引返し乗かへし。わのりをかけてくる〱くるり。〱しづ〱と。乗しづめ引とゞめ一さんにかけ出す。其勢ひははやぶさの。とぶがごとくに追分や江州。さしてぞ 〱急ぎける。

唐士に。弄玉(ろうぎよく)と云娘有（91オ）蕭使(しやうし)が作りし白粉(おしろい)を。ぬり初しより日の本の。女御后公武の女子。町屋在所の小娘も。顔するからに脂(あぶら)取色里は猶粧ひする是もしゆしやかの揚屋町。舞鶴や九左衛門が花車(くはしや)も中居も仕立物。お針は猶も情出し縫て。火のしのしはのばす客がなふても。寒空(さむそら)の用意は女の。手わざ也。

元来九左衛門くるは一番のけかちまけ。底欲深(そこよくふか)き者成が四五日はどふしてか。客もうす〲ふる雪をたばこと共に大あくび。ア、、、。ヤイ女共。是は隙な事じやぞよ。惣じて客屋のつぎ事（91ウ）と。寺に葬礼のすくないとは大きな不吉。小銭のいるのにしまやいの。とかく客のない時は眼くばつてしまつが大事。釜の下は二本と定とうしんも一筋。朝夕は猶しやくしかげんの有そなことコリヤ利介。ふろの下は晩にたきおれ。しまつをしらぬたはけ者じやと。ぶつくさ〲たばこぼん。たゝくきせるの。身ぞつらし。

女房さのははつめい者。おかしけれ共かたほにかくしさればいの。云んすごとく此中はどふしてかお客もすくない。それで人に問ましたりや其筈な事が有。木曽殿（92オ）を鎌倉からせめにくるとてとつこもさはぐ。此事さへ済だらば客衆もめき〳〵出やしやるであろ。しんぼうせいとげんほ様のれうぢのまはりにおしやんした。それでわしも力をゐ神々様を祈りまし。軍とやらが早ふ済客様方の有やうにと。荒神様のそうぢして塩水うつて神棚の。大黒さまに燈明をと聞も入ずめまぜして。ちよつとおじや女房。皆もこいと小手招（まね）き。小声に成て是おさの。わがみは此春よんだればあの大黒の咄をば。しりやらぬによつて道理〳〵（92ウ）。大利生の有お大なれどそれは〳〵大ちやく神。めだれを見てどふもならぬ前も一比淋しうて。あの大黒をしばり上此様に客のないは。守りめのすくない故じや神も仏もいらぬ〳〵。大黒からしづめにかけよと云合せてのこんたん。所をおろせの茂市めが。相図なればあつかいに入。真平〳〵御堪忍（かんにん）下さりませ。今から繁昌にお守り有ふとでござります。是大黒様。合点か。アレおふとおつしやると縄をといて。神棚へ上たに聞や。それから今に至る迄繁昌する我家内。何とふしぎなわちよではないか。じや

に（93オ）よつて此度も。又其かへにしばり上たいじよ立させ客祈らふ。コリヤ玉かちよお針の藤。利介
あめ蔵其外にもそつとさゝやき例のじやぞ。あいと皆々呑込で主の云じよに付にける。もと欲深き心から
信心も不信心取違へしぞ。おろか成。
九左衛門立かゝり棚成大黒引おろし。にらみつめつゝ是大黒殿。忘れやつたの〳〵。是はどふした守り様。
毎日〳〵朝飯の初尾をすへ。子の日〳〵の豆の食。鈴もきれいによふ鳴のを付。燈明の油さへ月に五升じ
やたらぬぞや。それにこりやまあどふ（93ウ）したこと。明ても暮てもくれても明ても。一ト人や二人の
客衆て九左衛門か身代が立か。こりや返事せい大黒。あたぶの悪いとあたまこつつり。したいそなたは千
人を守りやるげな。千や二千はおろか〳〵。おれが家内も廿人そなたの守りをあてにして。深い所へいき
そふな。おれより先にわごれよをば深い所へやつてくれよと。荒縄取出しぐる〳〵まき井の中へ下るを見
て。女房下部お針の藤。利介を始立掛りア、あふない〳〵。もふ御かんにんなされませ成程守らふとおつ

しやります。いや〱（94オ）。うはの空では呑込ぬ。毎日お客二卅人ならし。中にも達者な女郎衆を呼。紙くずもたまる様に守らつしやるかどふじや〱。ア、おつしやるにちかひはないといな。いや〱女房てはせうに立ぬ。誰そ他人のせうこ〱アイ〱。私がせうこでこさります誰じや。ヱお針の藤。ヤ君ならば聞気でやすは。又の〱。しはい中にもそりや何ぞ。付つ廻しつお藤をみてはいやらしい猫なで声。大黒様は猫はおきらい鼠がすき。猫なで声が過るによつてそれで守りがないことじや。万作様にこりもせでヲ、けつこな事でかさしやる（94ウ）。藤かまやんなこちへおじやア、うやまつた女共。いとゞさへめだれみるわろ。それては此大黒殿が猶聞ぬ。誰ぞ手をかへ侘せぬか仕廻が付ぬとじゆつなかる。利介はさとききてん者アイ〱。私証拠でござります誰じや。利介か。呑込だかよ。成程急度守らせませふ先々と大黒を。受取てなはをとき。なふあぶなやのすつてのこと井戸へどんぶりづでんどう。是にこりてけふよりして。随分お客有様に守らせ給へと神棚へ。揚屋の風義と云ながら。勿体なくもおかしやと笑ひて〳〵

奥に入にけり。
然所へ静が親（95オ）方泉や万作。きほひかゝつて爰に来り九左〳〵内にか。誰じや。となたじやヱ万さ。
此中は遠々しい。ホウにこ〳〵とよいきげんじやの。きげんてなふて何とせよ。コリヤ聞給へ我等が仕合。
しつての通り静をは吉次殿か身請有。見事の銀をもうけた所又ま一つ聞てたも。近い比から突出しの新艘
泉川を。去ル田舎のお客じやが受出し度と云事で。直に手前へ相談有を泉何と思ふてか。爰の内から談合
をしたらばよかろと云に付そこも有ふ。直々には相談もしにくい物。まつかせと一さんに爰迄（95ウ）飛
で北のゝ天神。常に祈る御利生かわざはひもなく身受がつゞく。揚屋はどこぞ九左衛門。こちがよければ
そちもよし。追付お客がお出で有ふ。それはきそうぢ心へた。サア大黒が聞てきた。燈明かゝげ鈴ならせ。
扨たんてきなお大さま。それおみきよおかゞみよ。洗米とさゞめきて家内。賑はふ折節に。
お定りの三枚がたおろせが先へ旦那お出と。よばゝるに九左夫婦万作やがて迎に出。土に頭を付うやまい

て先々座敷へ伴ひける。九左衛門手をつかへ。見ぐる敷私宅へお越下され候段（96オ）。有がたしと申に
ぞ万作やがて罷出。是がお咄し申上し。舞鶴や九左衛門とて此里の揚屋。夫婦共に御見知下さるべしと挨
拶す。彼侍につこと笑ひ。成程先達て万作噂で聞申た。定ておきゝやつたで有ふ身は遠国者成が。ヱ此所
に静とやらん云太夫さまがおゐやつて。殊外の繁昌を奥州の金商人。吉次とやらか身受せし由残念ぜひも
おじやらぬさ。それに付。其静の妹女郎泉川と云太夫をば。望みに存尋来り万作は親方と聞。直段致さん
と存れば何か共そなたと相談をしてくれよと。云る（96ウ）るに付さつこんながら是迄推参致たり。万事
両人云合宜相談頼入としと〳〵とこそ申ける。
九左衛門聞もあへず御意の通は万作が。物語に承る諸事畏り奉る。とは申つ泉様についに御一座有間敷。
それ泉様呼ましに早ふ〳〵と人ばし掛る。朱雀ののべや露しげる。名に聞しようづ高く。雪のす足の八
文字。色も情も勿体も。有ルまい物ようきふしの。寝顔すがほのうつくしさ。見る人恋の種ぞかし。

引船禿やりてつれ。しやらり〱とあゆみくる。九左衛門迎に出暫々ちくとんばいほ（97オ）め申さふ。ヨヲ太夫様道中様しんぞうよしの惣本寺。こちの開山上人も爪をくはへて恋の山。たつた一夜のお情こさりはかの。深草の少将が百日詣はおろかなこと。千日万日万々日つゞけ買の惣廻向光明遍照十方。世界の恋のわけしり様お名はといへば泉川流もすます鐘の声諸行無常是生。めつはうかいにうつほれた。たまらぬは〱いや〱どふもやつちや〱。たまりませぬとほめ立る。

泉　につとほゝゑみほに九左ィ様忝い。よふこそほめて下んした去ながら里馴ねば。恥（97ウ）かしうてわけがないとかくよいよにせわやいて。かはいがつて下んせとにくからざりし愛敬(あいけう)に。廿六夜の御しんたいかりに顕はれ泉様。かゝよ座敷へお供せい。ヤせい〱〱。せゝらせのせいだせ晩にはそもじに。我等が客に成てやると。たはふ。れ〱座敷へ出にける。

九左衛門図に乗ッて先申上ませふ。扨早速ながら太夫様。是が此度お前をばお身受をなされ度と有。盛様と申お客又旦那にも太夫さま。お近付のお盃慮外なから御器量は。おそらく只今楾(くるは)一番。まだ〳〵〳〵どこ（98オ）やらに。みめう無類のうまみ有と参つた方の御ふいてう。諸事は加減(かげん)を御覧なされての上。首尾調へば奥様さま〳〵。コリヤうきませさ成ますまい。目出度は万作。我等一ふし仕らふ。ア、うるさやの又浄るりか。出もせぬ声で置てたも。ハ、めつきりとしあげましたよ。さゆの替りに茶碗でしよ。女共一つつげ。ヲツトきたは。ホウハツアよいきみじや。此きほいにと夕間暮。羽袖をかへすもんさくに。彼かんたんの。仮枕。一眠の夢の覚しも五十年。又五十年百年也。扨其後は二百年。又三百年四百年（98ウ）。まだ五百年。千年は。鶴のよはひと覚しめせ。浦島太郎は八千歳。東方朔は九千歳。亀は万年めでたさよ。しやかの禿の水上は五。十。六億七千万歳と聞時は口に。はゞりて云にくし。是を肴にお一つともりかくる。客も一座も。盃の。廻るに。なじみ打とけて。

泉盃下に置。かふ申れば何とやらおかしい物の様なれど。終におめにもかゝりやせずけふ逢ましてけふ始。

それに身受とおしやんすはいか様わけの有そなこと。打明ておしやんしたらなじみなく共身を任す。ことに成まい物でもなし（99オ）。底のお心聞たいとねを押て尋るに。客も横手を丁ど打。扨はつめいな太夫殿。其心ならずんば名計に主人がほれ。受出しこいとは申されまじ天晴め高や我折ました。此上は何をかつゝまん九左夫婦万作も。耳を澄(すま)して聞てたもハ、、、。ヤ太夫の讃(さん)の其通誠某請出すにあらず。ム、定て聞も見知もしつらん。身は木曽殿の御内にて手塚太郎光盛と云者。主人義仲暴悪招過(ほうあくてうくは)し朝敵と成給ふを。さま〴〵諫言申せ共御聞入のないに付。悪事千里と鎌倉殿より木曽（99ウ）ついたうのうつてのぼるは。今日もしれがたし。そこで我等も思案をしかへ。いや〳〵ひつけういらぬ忠義。木曽殿に付ゐたらばたちまち首は落武者の。雑兵の手にかゝらんより鎌倉殿へかうさんし。先は命たすからふこまた取てもかつが徳と。つてを頼み願ひしにさいわい哉梶原平三。景時殿よりおまねき有千百石の御知行を下され。義仲の有所をきかば早速に注進せよ。ほうびは望みに任せんと只今にては梶原殿の。出頭第一の此はな。

内々主人景（100オ）時殿しづかをお望み有けれ共。早吉次が請出すよし御残念の其あまり。おなじうつりと泉川殿受出してくるやうにと。下拙に仰付らるゝ故。かくの仕合金銀は宝の。山の景時殿。当分おてかけすへ〳〵は。いか成果報の。できやうもしらず。あやかりものじや皆の者。目出度ではないかいの。ハア。ハツ。ヤおめでたいは西の宮。ゑびす三郎左衛門の尉。あらめでたいをつり〳〵。釣つつた〳〵。つつた所が。面白いよのしやん〳〵。こりやどふじや。泉川は思案顔是がうかいでたまる（100ウ）物か。尤急な談合道理なれ共。ゐてたもれば我等がもうけ。そなたも仕合せお大名の。奥さまに成ことじやがなふ九左。女夫の衆何と思やる。

いかにも〳〵。太夫様御思案所じやござりますまひ。いそ〳〵なされお拵へくるわの名残に見事の身受。跡々迄も申出し。悦びは猶くめどつきせぬ泉屋の。万作うかみ上る事次には我等も御同前。御きげんなをされナ。ナ。申。ヤハ、、、どふやらかたほに笑ひが出たぞ。悦びや万作女共。おてうしの（101オ）かんはつたりと。ア、またんせいな九左さん。なんのいないくまひではなけれ共。盛様にといましたい事有故に。わざとだまつていやんしたが中盛様。フムすればおまへは義仲さまとやらの御けらい。手塚様にてお入あれど今度のさはぎがこはい故。今では梶原さんの御内衆と成義仲さまを。討てとらんすたくみじやな。はてしれたことといの。フム。フム。ハ、、、これやお道理でござんする。しかし私が先から思ふに尤お違ひも有まいが。梶様の御けらいと有愷（101ウ）なせうこみぬ内は。受出されゐた跡であれやだまされた平家方の。侍で有たにと笑はれては私が立ぬ。お偽りなく梶様の御けらいに極らば。御紋付か何ぞか有ふ迚のことに夫みせさんせと。云に万作九左衛門めとめを見合。物をも云ず。手塚弥打うなづき。コリヤよい所の釘のさしやう夫々とつれ来る。けらいを呼出ししか〳〵と云付るに具足櫃。矢はづの文もけんへい成梶原がけらいの印。まがいなくこそみへにけれ。

見給ふか泉殿。当時矢はつの紋付るは梶原一統外になし。又此（102オ）くそく櫃持せぬるは。今にも義仲に出くはさば此鎧を着しつゝ。花々敷戦へと主人梶原様の鎧。夫故昼夜側をもはなさず。疑をはらされよと云に一座も手を打て是はかふも有ふことさらりと済だ盛様も。嘸御満足と乗られていかにも〳〵満足中た。夫に付主人梶原別而申付らるゝは。泉川は静の弟子舞の上手と聞及。是も一指序而ながら下見せいとの仰付。槨の名残に舞残すゑもんがばゞの花の袖。返々も興有んと望ばいや共云難。かつてに入ば槨中群集を。なして（102ウ）

泉川富士太鼓

持たる撥をば剣と定め。もちたるばちをば剣と定め。しんゐのほのほは。たいこのほうくわの天に上れば雲のうへ。ふじおろしにたへずもまれてすそのゝさくら。四方へばつとちるかとみへて。花衣さす手も引手も。鈴人の。舞の袖。かへすぐ〳〵も恨しと寄ては。打帰りてはうつの。山べの。うつ。ゝ。にも夢にもあはぬ。妻の敵思ひ（103オ）のまゝに打おさむ。実や女人の。悪心は。煩悩（ぼんなふ）の雲晴（くもはれ）て。五しやうらくを打給へ。しゆらのたいこは打やみぬ。千秋楽をうたふよ。実々。千世ふる松の若緑（わかみどり）。立ッ青海の波のもん。うづまけば月影もくるり〳〵と。一つ巴よ是は。たいこに移（うつす）すゑにしの。二つ巴に三つ巴。左右に廻れば右どもへ。ひたり巴と。ゆふがくの。音もしきりにしつてい。〳〵てれつく〳〵〳〵しつていちやう。〳〵丁子巴が舞の曲面白かりける（103ウ）次第也。

舞納れば見物男女。どよみを作り扨も〳〵。古今まれ成太夫様あたりましたとのゝめきける。光盛よねんたはいなく。聞しに増る遊芸ほとんどがを折候よ。此上申はあこぎながら。静の家には放下僧待受の舞の有ける由。迚のことに頼申と云に万作指出。是は余義なき御所望。去ながら放下僧には小鼓の入候が。いつもはやし申者用事有て宿にゐず。ハテ何とせふ誰かれと詮義はいらぬ小鼓は。我等が少シ打申じやまながら仕らふか。して〳〵鼓はござります共。是も（104オ）静様の置みやげ。打て其声出るならば。是はおまへの手がら成べし。早々鼓仕れハ、、、、。こりやよいは。泉川あたりを見廻しヤ九左衛門さん。かふいへばどふやら、しう勿体らしい事なれど。是は大事の伝受の舞じぎしたけれど引れぬしゆび。近比ながら皆様はかつてへ立て下さりんせ。是は尤。ヤ御尤。是を合て六尤とはどふも申されぬ。やんれどふも申されぬとうたひ。つれ立入にけり。

サア〳〵みな〳〵かつてへ立た。始られよと小鼓をしらべて思はず謡出す。され共此人。夜はくれ共昼みへず。ある夜のむつ（104ウ）言に申。々。舞始ぬ内お尋の申度ことござんする。イヤ我等もこなたには尋度こと有故に。ム、何やらかやらハア。ヤ先こなたの尋度とおつしやるは何の事でござるぞ。いや外のことでもござんせぬ。有様は人をのけしも最前装束しかへる内。かつてへ入てお前の刀預て有をみやしたに。まがいもない木曽殿の御重代おまへがさいてゐさんすは。早義仲様を討て取梶原様から御ほうびに。もらはんしたと云様な何と事では有まいかいな。はて扨こなたはめいよふなあぢな所へきが付のふ。成程あれは木曽殿の刀。様子（105オ）有て身が指申。けいせいの身で木曽殿の指料を見しりやるはハア。ム、かくすまい巴の妹。そなたは山吹殿じやの。よい推量でござんする。成程私は山吹じや扨こそな。其山吹殿に今迄はどう間違ふて御意得なんだぞ是は是よと。何として又此所に此有様は何事ぞ。サアそこでござんす。しらんす通姉巴は殿さまのお種をやどり。ア、うれしやと思ふ内。佞人共にすゝめられ御謀反故に鎌倉より。討手登れば爰かしこ御身をかくさせ給ふ由。姉様の行衛殿様の御行方を尋ても。しれぬは人（105ウ）の。身の行末。お二人さまに廻り合生ふと死ふと一所にと。思ふに付て此里は諸国の人の入こむ所。もしや。行衛の噂も聞ふとあられぬ此身をけいせいに。売たが幸買んしたが不証。殿のお刀持給ふからは。木曽殿の御行衛御存有ふ。あらがはれまい是お刀かつてゞ盗み持てきた。おじひにならふ御行方。しらんしたらおしへて下んせ又。討んしてかくさんすならお主の敵のがしはせぬ。女なれ共巴が妹サア。どふぞ手塚殿。手詰に成ッた討たか討ぬか。返事次第とそり打てたるみも。みせず詰かくる。光盛（106オ）さはがず手を組で。もく念としてゐたりしが山吹顔をきよろりと詠め。ア、笑止やかつてには。舞の音が聞ゆるかと不審をなしてゐよふぞや。先々舞を面白のいや〳〵討ッたか討しやらぬか。様子聞ねば舞はまはぬ。さればいの。其刀我させば。討ぬ共又討た共。そこらを聞ぬが花の都や。筆にかく共およばじ。東には。ぎおん清水待た〳〵。有様に云て下され。そんなら皆々落くる滝の。音羽の嵐の地主の桜はちり〳〵。ヱ、しちくどい紛らかさず共。殿の敵やらぬぞ。ヤア合点の（106ウ）の*行ぬ。イヤとぼけまい。西は法林。さがの御寺。廻らば廻れ。水車のわのりせんせきの川なみ。河柳は。水にもまるゝしだれ柳は。風にもまるゝふくら雀は。竹にもまるゝ都の牛は。車にもまるゝ茶臼はひき木にもまるゝ。実誠。忘れたりとよこきりこは放下にもまるゝ。こきりこの二つの竹の。代々を重て打治りたる御世哉。手塚の太郎ぬけつくゞつつ。随分鼓であしらへど思ひ詰たる山吹。きび敷打て掛るにぞ木曽殿有にあられずし。具足櫃より顔出しヤレ（107オ）。義仲は是に有と宣ふに。はつと光盛具足櫃に腰かくれば。襖押明巴のまへなふなつかしや殿の声と。出んとするを山吹押入て襖戸をはたと。引立そしらぬ顔。両方きよろ〳〵うろ〳〵と。うろたへ廻り明まいぞ。出まいぞ。明まいぞ。出まいぞ。〳〵。出まい〳〵と互に。ため息つきゐたる。

山吹刀をさやに納め。誤りました手塚殿。かふなふては叶はぬ筈頼も敷御心底。両方見とがめられし上は心も一つ。いざ姉様御前と。云に光盛心晴櫃押ひらけば木曽義仲（107ウ）。巴も掛出すがり付。うさとつらさと浮思ひやるかた。涙にわけもなし。義仲は光盛が忠孝故に此ごとくかくれ忍びて有といへど御身が腹にやどりし子の。有に付ても先非をば悔てもかへらず謀反人と。先達て鎌倉より源九郎義経。うつての下知を蒙り都へ忍び上りゐるに。此度又頼朝の代官として蒲(かば)の冠者範頼(のりより)。多勢を引具し夜を日についで上る由遁(のが)れんかたはなけれ共。何とぞおことに廻り合今一度互の皃。見て其後と思ひしにふしぎの対面是はそも（108オ）。いかにとあれば巴のまへさればわらはも我君に。お別れ申あちこちとさまよいありく物思ひ。ぶら〳〵心わづらふを山吹が其身をば。此所のけいせいと成て我身を隠レ家の。あられぬ手わざお針と成身を引さげて此所に。足の留りし故にこそ御縁つきせず我君に。あい奉る嬉しやとひたんの涙せきあへず。光盛巴に打向ひ。我君流浪の御中にも。そなたの懐妊(くわいにん)のこと露思召忘れさせ給はず。在所を尋出せよと度々の御諚なれ共。かゝる大事の時節片時(へんし)も御側を離るゝ（108ウ）こと成難。かくのごとく具足櫃に入参らせ。仮初に立出るにもせなに負しは御大切。日本廻国の修行者同事。伝へ聞朱雀の里に泉川といふ女郎。兼平に縁有とほの聞しより必定是ぞ。巴の妹山吹ごさめれ。何とぞ便りて様子もとは思へ共。いや〳〵きよせつのおふき世の中。何分心をはかりはかつて底をさぐらん泉川。深き思案に梶原が矢筈はづの紋を付置て。具足櫃の徘徊(はいくわい)は誰人とがむる者もなし。幸けらいと偽名乗此里へ入来り。身受の談合空おかしや椰中（109オ）の者共に。大臣様ともてはやされそまぬ心のけいせい買。武士の身として偽を。云ならべたる詞の花嵐に散乱する計。底深き泉殿。よくも姉御をかくまへの為お物師の藤巴。天晴〳〵知慮の山吹。廻り合て三つ巴殿にも御きげん我等も悦喜。さは去ながら世の盛衰。成果たりし身の上やと。四人一度に八つの目に涙の滝を。たゝへけり。

誰かしる共くるはをば追取巻。時をどつとぞ上にける。梛は思ひよらざればこりや何事ぞと上を下。てんどうはいもふ世なをし〳〵。やれまつこくべあた（109ウ）ごの札。臍をかくせとうろたへて。裏の野道を我先にと。逃失たりし有様は理りとこそ　〽みへにける

義仲巴。山吹は遁れぬ所爰ぞかし。すみやかに討死せんと用意のきごみてん手に着し。打て出んとし給ふを光盛しばしと押とゞめ。爰にて討死あらんより巴のまへと諸共に。一先のかせ給ひつゝ御身大事に若君を。安々誕生なし中御運つきずは木曽の冠者。朝日将軍義仲の若君也と末々では。御名もとゝせ給ふべし胎内に御産有内。刃に掛んは御痛はし。はや（110オ）まつて切ル腹は悔にかひもあら正体なや。お嘆所に

候はずサア巴の前お供〳〵。跡は両人受取しと榔の者の落行体に。拵へ中野道をば是も首尾よく落しつゝ。サアしてやつたと光盛山吹かい〳〵敷も打て出。木曽左馬頭義仲。同付そふ女武者巴がけふの死軍。かゝれやかゝれと小手招きなぎ立切ふせ追立れば。何かはもつてこらふべき村々ばつとぞ　〽逃失たり。

梶原が執権乾(いぬいの)源五貞友。馬にむち打かけ来り。ヤアひけう也かへせ戻せ。敵は両人義仲巴鬼神にてもあら（110ウ）ばこそ。いて某が組留て主君へのみやげにせんと。くはうげんはいてすゝむ所を山吹つつと走り出。馳来る源五が馬の足ひつつかんで目より高く。指上られてヤレゆるせ。〳〵の源五と共によせての中へ打やれば。肝をけし一足もたまらず乱さんらんし跡も。はるかに見へざりけり。

ヲ、さもそふづ〳〵。今迄は泉川里をひらいてさとりをひらく。日本無双の巴が妹力は名にあふ手塚の太郎打つれ。立て行空の。月の都を跡にして近江路。さして落て行（111オ）

第五

白刃骨をくだき。こうは楯を流す雲水の。宇治の川風吹乱。軍は花を。ちらしける。軍の吉例軍兵を七手にわけ。八千余騎或は討れ或は又。落たる猿の木曽義仲はいぼくのきは迄も。付廻る巴御前お中にや、を望月の。駒の口取一足もせきの岩かとふみならし。男思ひの一二三四つの辻にぞ着にける。

義仲面色焰(ほのほ)のごとくヱ、口惜やな。是迄数ケ度の戦に一度もふかくを取ぬ身の。範頼義経の小くはじや（111ウ）めにかにの手をもがれし大まけ。殊に女なれ共一騎当千の汝迄心をくれ。ぜひ落よと引立る大力に。馬も足を立兼是迄引れ来ること。後をみせたりと敵の嘲口戸は立られず。末代のかきん爰より取て返し。範頼義経にくんで討共討る、共。弓矢の名はけがすまじと駒のはなを立なをせば。すがつてちつ共うごかせず。尤軍は勢の多少によらね共。敵は六万余騎みかたはわづか八千余騎。百万騎の味方共。頼にせし宇治川を佐々木梶原に渡されしは。伊達根井と云ふかく者の不調法。剰一番に逃隠行方なし（112オ）。樋口ノ次郎は降参する。頼にせし手塚は討死。誰か一人敵をふせぐ者はなし負（まけ）いで何とせふ。サア日比申たが露程も違しか。過さつたこと云てかへらぬ此行末。信濃は卅年馴染の所。木曽の梯（かけはし）切落し。爪琴上松に城槨を構へたて籠らば。日本国が寄て責る共気遣のきの字もなし。道をつゝまれぬ其先に。いざ一足も急んと馬引立る行先に。勢の多少はいさ白はた松のはごしに。ひらめいたり。

南無三宝早行先も鎌倉勢。しや物々し何万騎有とても。太刀の目釘のつゞかん迄と鎧づきして待給へば。巴も同めをくばつて待も程なく五（112ウ）十騎計。たいごを乱さずうづまき出る旗の紋。二つ引に笹りんどう馬上の勇者は今井ノ四郎。義仲御覧じヤア兼平か。何兄様か。こは我君か妹かと。互に馬上を飛でおり。云んとすれどせぐりくる涙は声に。先達て暫。詞もなかりしが。

過し頃御ふけう請御館を出しより。淀の辺に影を隠し日々に御身の上を窺ひ。今日の御大事聞とひと敷馳参るに思はぬ所の御対面。正敷戦に打まけ落させ給ふ御ふぜい。そもいつの間に大腰ぬけに成給ひしぞ。仏神を塵芥(ちり)。上皇を土砂のごとくふみ付給ひし。積悪人は免す共天道いかで見のが（113オ）すべき。今頼朝ににらまれ。何国に身を立んとて敵に後をみせ給ふ。ヱ、ふがいなき君の御所存やと。いかつつ泣つ詞をつくしことをわけてぞ諌ける。

いや〳〵そふでない兼平。某みぢんも落る気はなかりしに。巴がむりにと云せも立ず。イヤサ其云分猶御ひけう。人の詞に付気ならば。是迄兼平が申せし諌言なぜお聞なされぬ。軍中へ女をつるゝ主人も主人みれんの女め。兄まさりの力を持。なぜ大勢にわつて入。捨首つらぬき手がらを顕はし大将に自害をすゝめ。儕も末代女のかゞみ腹かきさばいてくたばらぬ。人でなしめとねめ（113ウ）付られ。こらへし涙わつと泣。情ない事云て下さんす。こな様はしらしやんすまひ。いつぞやから是迄の御身持段々の御悔ごと。今は霞の晴たるごとく。上々の真人間にお成なされた物。何とお腹が召せられふぞ。私も命はおしまね共。お中に四月大事の〳〵や、様が。せめてまんそくに産落し月日の光りがみせまし度。産ぬ先から子に引る、うしろがみ。あんまりひけうとしかつても下さんすなと。いへば驚き何々御種を懐胎せしとや。ハア。十六年の月日何事なく。今此極に懐胎とは。めでたい半分かなしい半分。果報つ（114オ）たないお子じやな。親の悪事が子にむくふ。是も天道の御罰かと。兄弟悔み嘆を見て。鬼神もあざふく義仲も共に。涙にむせびつゝ。

そも何と心得勿体なくも上皇を押込。天子にならふとは思ひしぞ。我と我身のがてんが行ぬ。ゆるさせ給へ天道様と。本性たゞ敷後悔涙。扨はお心直りしかと思ふに付て兼平は。こぶしを握り身をふるはしいとゞ袂をしぼりしが。

ヱ、悔んで帰らぬ不覚の落涙。君落させ給ふとしらば追手嘸かし。妹は一先本国へ立帰り。御誕生迄大事

の命。君の御種を末（114ウ）の世に残さんこと。さいごの御供百千倍の忠義成ぞ。聞分もなく一所に討死
などゝ云程不忠。兄へは不孝急け〳〵と云れてはつと。泣々立は立ながら。あゆみかね行兼て。云度こと
は山々程胸にはあれと口へ出ぬ。そんなら殿様兄様さらばやと。涙をつゝむ春霞声も。霞に埋れて行がた
へしらず別れける。

時も移さず追手の勢。山河にひゞく鉦太鼓風にこたまのおびたゝし。あれ〳〵討手も近付たり。いざゝせ
給へと召馬引よせ手をそへ腰をいだきのせ。我身も馬上にゆらりとまたがり。夫弓取は年比日比いか成
（115オ）高名誉レ有共。さいごに不覚の名をとれば先祖末孫迄の恥辱。さすがに木曽殿の人手にかゝり給は
んこと頼朝が聞所も有。アノ松原に落行心静に腹召。一先防矢仕遅く共早く共。出合所は三途の川ばた。
まへ勝に独行給ふな。死手の旅にも一人には宿借兼るとさいごのおどけ。旗まつ先に押立させ追手の勢に
かけ入ば。心ぼそくも木曽義仲手綱かいくり只一騎。松原さして落給ふ。

謡比は正月の末つかた。春めきながらさへ返り。ひへの山風の雲行く空もくれは鳥。あやしや通路の。末白雪の薄氷。深田（115ウ）馬を掛落し。ひけ共上らずうて共行ぬ望月の。駒の頭もみへはそこは何となら

ん身の果。ハル諸軍にぬけがけ石田ノ次郎そわを伝ひに掛来り。色是こそ御手に詞かけられし。石田ノ兵衛が一子同名次郎為久。親の敵朝の御敵一矢見参申さんと。ハルきり〳〵と引しほり今ぞウ命はつき弓の。ふりかへる甲の

寄ウうけみ返しを射けずつて。矢は忽にのつけにそり。馬上をころりとおこしも立ず。走色掛つて首かき切。

詞鬼神と聞へたる朝日将軍義仲を。石田ノ次郎が討とつたりと大音声に呼はつたり。ハル角と聞より今井四郎真黒にかけ来り。ウ石田（116オ）次郎に渡り合秘術（ひじゅつ）をつくせば軍兵共。石田を討すな討さじと。どつと寄れば

ウ石田ノ次郎フシ透間（すきま）を窺ひ逃失たり。

ハル今井はさいごの一軍と大勢を左右に受。ウ蜘手かく縄十文字。三重はらり〳〵と〽なぎ廻れば。ハル刃向ふ者は大半フシ討れ残るははふ〳〵逃散たり。ハル今井ノ色四郎詞大音上。日本一の剛の者の自害の手本よと呼はつて。ハル太刀の

切先口にふくみ。同深田に飛込で貫(つらぬか)〔フシ〕れてぞ失てげる。〔ハル〕今井の四郎がさいごのしぎめを〔ウ〕驚かす鎌倉勢。〔キン〕野

にみち山に道し有掟に随ふ一天四海。皆悦の種と成。国富民も治る〔色〕御代万々。歳としゆくしける（116ウ）

右此本者依小子之懇望附秘密
音節自遂校合令開版者也

竹本国太夫
豊竹三和太夫
浄瑠璃太夫　竹本半太夫
豊竹新太夫
豊竹島太夫

京二条通寺町西へ入丁　正本屋山本九兵衛版
大坂高麗橋二丁目出店　山本九右衛門版

解　題——契情我立杣

◎底本　大倉集古館（277）
◎体裁　半紙本　一冊
◎表紙　原表紙
◎題簽　原題簽「契情我立杣　太夫［　　］本」
◎行・丁数　本文七行・一一五丁（実丁）
◎丁付　我立 初二、我立 二～我立 五十九、我立 大こく二、我立 六十一～我立 百二、次フジタイ［　］、我立 ふじ太、我立 百四～我立 百十六（ノド）
◎内題　木曽麻衣／花洛模様　契情我立杣
◎年記　無記載
◎作者　無記載
◎奥書　有
◎板元　（京）山本九兵衛
　　　　（大坂）山本九右衛門
◎番付　無
◎絵尽　無
◎初演　享保十九年十月以前（推定）　江戸（推定）
『義太夫年表　近世篇』第一巻一〇二頁参照

◎主要登場人物
前関白松殿基房
石田兵衛久国
池大納言頼盛
伊賀蔵人家員
とこよ（宗清娘・清見）
曲渕権太夫
根之井大弥太正広
今井四郎兼平
花垣主膳（巴御前）
後白河上皇
たいこの頓七
下女おふく
久介（磯小文次常春）
辰蔵（平重盛子息）
舞鶴屋九左衛門
遊女泉川（巴御前妹・山吹）
乾源五貞友
猫間中納言光高
木曽冠者義仲
弥平兵衛宗清
朧夜（宗清妻・お杉）
比義庄司盛廉
伊達六郎親忠
樋口次郎兼光
堀川中務
茂子姫（基房娘）
遊女静（常春妹）
泉屋亭主万作
庄屋とじ右衛門
久介女房（さゐだ）
吉次従者
九左衛門女房さの
手塚太郎光盛
石田次郎為久

◎梗概
［第一］

（比叡山円融坊）13頁2行目～19頁1行目

時は寿永二年秋、挙兵した木曽冠者義仲は京に上り、衆徒を味方につけ、比叡山に砦を構えていた。後白河上皇は、前関白松殿基房と猫間中納言光高を供に、御所を忍び出て比叡山円融坊に行幸する。そこへ、源頼朝の使者・石田兵衛が訪れ、征夷大将軍の職を請う。急ぎ参内した義仲も将軍職を望み、口論となって石田を殺してしまう。基房は義仲の横暴を咎め、安徳天皇の持つ三種の神器を、上皇の元に取り戻した者を将軍に任ずると告げる。

（芥川）19頁2行目～23頁7行目

義仲を恐れた平家一門が都を落ちていく中、平清盛の弟・池大納言頼盛も、譜代の家来・弥平兵衛宗清と共に芥川まで来かかる。そこへ、伊賀蔵人家員が、頼朝からの文を携え駆けつける。かつて命を助けてくれた、頼盛の母・池の禅尼と宗清に恩を報じたい、とする文の内容に、臆病な頼盛は、京に残れると喜ぶ。命を惜しみ一門を見捨てる行為に宗清は苦言を呈するが、家員と引き返す頼盛に、なす術もなく付き従う。

（頼盛館）23頁8行目～38頁7行目

京に残った頼盛は、頼朝からの音信を待ち侘び、ひっそりと暮らしている。宗清の妻・朧夜と娘のとこよが御機嫌伺いに訪れると、宗清を頼みに思う頼盛と家員は、二人に媚びへつらう。頼盛の御台は恐縮する朧夜に、山猿が衣冠を着した人形が、宗清から判じ物として届けられたことを話す。

そこに現れた宗清は、朧夜の父と兄が、源氏の侍・比義庄司盛廉、頼朝の臣・藤九郎盛長であることを理由に、離縁を言い渡す。生まれた時から親兄に縁薄い朧夜は納得しないが、宗清は、盛廉が娘の朧夜を引き取りに来たと告げる。初めて会う父と宗清が斬り合いとなり、朧夜は泣く泣く父に従ってその場を去る。

そこに現れた御台は、夫・頼盛の卑怯を一命かけて諫めたものの、聞き入れられなかったと物語る。宗清は、山猿の人形は頼盛への揶揄として門前に置かれており、その人形を届けたのも、源氏に縁ある朧夜を離縁したのも、頼盛の改心を願ってのことと打ち明ける。離縁をめぐっての斬り合いも、示し合わせた作り事であった。そこへ、事情を聞いた朧夜が現れ、全てを知った上で、娘を連れて立ち退くと告げ、涙の別れとなる。

俄かに人馬の音がとどろき、頼朝方の軍兵が押し寄せる。

頼盛、家員主従を取り押さえた、大将の曲渕権太夫を宗清が討ち、二人を抱えて北岩倉へと落ち延びる。

[第二]

(義仲館)39頁2行目~49頁9行目

寿永二年中秋下旬、あやしい夢を見た義仲は、夢合わせを行おうと、寵臣の伊達六郎親忠、根之井大弥太正広、樋口次郎兼光らを呼び寄せる。その夢は、羊になった義仲が、獅子と変じた後白河上皇に、角と尾を折られて天に上るというものだった。樋口はこの不吉な夢を、義仲が天皇の位につくお告げと、弁舌巧みにこじつける。

義仲は悦び、かねてより用意の冠装束を身に着けて即位の儀式を執り行う。さらに、天皇となるからは巴のような女ではなく、美人と評判の基房の娘・茂子を迎えて后に立てよと命ずる。

そこへ、巴の兄であり、義仲への諫言が疎まれ遠ざけられていた今井四郎兼平がやって来る。義仲の出で立ちを見て嘆く兼平は、伊達、根之井、樋口らが京で略奪を行い、これを隠そうと主君に謀反を勧めていると咎める。しかし義仲は返って逆上し、樋口ら家臣に兼平を打擲させ、門外に追い出す。義仲が法住寺の御所に攻め寄せんと勇み立つ一方、兼平は無念を堪え立ち帰る。

(基房館)49頁10行目~64頁4行目

義仲の悪行と世の乱れを憂う前関白松殿基房公の館に、猫間中納言光高が勅使として訪れる。基房は対面を拒むが、光高は門外より、義仲が後白河上皇を幽閉し、天子になろうと企てる中、基房の娘・茂子姫が義仲に嫁するとの風説があることから、参内して申し開きするよう告げる。基房は光高を招じ入れ、庭の池水に心を澄まして魚の心を感じ、義仲を滅ぼす手立てを見出したと語り、奥で事を見届けるよう促す。

そこへ義仲の使者として、見目はなやかな花垣主膳が訪れる。茂子姫を義仲に下されるか、御返事を聞きに来たという主膳に、取り次ぎの堀川中務は、既に承諾の使者を送ったと答える。これに驚き涙まじりとなった主膳の様子を見た中務は、主膳が巴御前その人と察していながら、わざと茂子姫に見返られた巴を蔑む。巴は逆上して正体を現すが、義仲の御入りと聞き、庭の垣に隠れる。

父・基房に導かれて姿を見せた茂子姫は、その美しさに見とれる義仲の手を取って奥へといざなう。すると、隠れていた巴が現れて二人を引き退け、巴と兼平の父で、義仲を守り育てた兼遠の「天子上皇をうやまい、平家を滅ぼし源氏のお名をお上げなされ」との言葉を引き、義仲の横暴を諫める。さらに、抗う義仲の首筋を掴み、その髪を板縁と、片手で持ち上げた石の手水鉢に挟んでしまう。

動けずもがく義仲は、巴と基房の求めの通り、上皇の幽閉を解き、茂子姫は思い切って、巴を変わらず寵愛すると約束させられる。

そこに、義仲への討手として、蒲冠者範頼、源九郎義経が鎌倉を出立したとの知らせが来る。巴御前に改心を迫られた義仲は、無念の顔つきながら、一散にその場を去る。

始終の様子を伺っていた光高に、基房は茂子姫の寝所に仕込まれた鐺の仕掛けを見せ、巴御前が来なければ、姫諸共義仲を刺し通す計略だったと打ち明ける。難を逃れた上皇が御姿を現し、めでたく事治まる。

[第三]

(朱雀泉屋) 64頁6行目~76頁8行目

朱雀の廓で評判の太夫・静は、明日の身請けのため暇乞いの挨拶に回り、泉屋に戻って来る。出迎えた泉屋亭主の万作は、身請けで儲けが出ることを喜び、たいこの頓七は「大名大黒舞」を歌い踊る。

静は、泉屋で働くお杉と清見を平家に縁ある母子と見て、自らも武士の妹であり、静を請け出す吉次は、実は源九郎義経と打ち明ける。困った時は力になると言う静に、お杉は涙を流し、遊女勤めはしない契約で奉公したが、亭主に惚れられ困っていると話す。

静が去ると、亭主は清見を人質にとり、お杉に関係を迫る。お杉は下女のおふくに、亭主の妻になれると伝えて身代わりとし、清見を連れその場を逃れる。

(久介住家) 76頁9行目~93頁3行目

駕籠舁きの久介の家では、村の衆が集まり、持ち回りの酒宴が行われていた。庄屋のとじ右衛門らが帰るのを送って出た久介夫婦に、幼い娘を連れた女が匿ってほしいと声をかける。女房は力になろうと母子を一間に寝かすが、この様子を見ていた久介は、母親を殺し、娘を朱雀の遊女に売ろうと女房に持ち掛ける。女房は慌ててとどめるが、主君のためと諭され、泣く泣く了承する。

久介は寝ている娘の口を塞いで連れ去る。残された女房が女を殺そうとするものの、女は懐剣でこれを防ぐ。女房は、主君のために殺されてくれ、主君が世に出れば、娘を助けてそなたを厚く供養すると胸の内を告げ、わっと泣き伏す。
　女が自分も名ある武士の娘、藤九郎盛長の妹と名乗ると、女房は、弥平兵衛宗清様の奥方かと驚く。久介は平重盛公の家臣・磯の小文治常春であり、二人はともに平家に仕えた侍の妻と分かる。
　戻って様子を聞いていた小文治が娘を取り戻そうと立つところへ、瀕死の娘を駕籠に乗せ、静が訪ねてくる。静は小文治の妹で、兄妹は思わぬ再会に驚く。五十両で元の泉屋に売られた娘は、母も捕らえて一緒に首を斬ると亭主に脅され、自害に及んだのだった。
　小文治は、病に倒れた重盛が、妻に先立たれた自分に、身ごもった妾のさゐだを添わせたこと、男子ならば捨て子とせよとの遺言にも関わらず、前妻が生んだ娘を代わりに捨て、若君を我が子辰若として育てていることを物語る。西国へ下り、一門と共に源氏と戦うことを望む若君のため、娘を売って軍用金を整えようとしていた小文治は、重盛の遺言に背き、今の嘆きを招いたことを悔やむ。
　さらに、宗清の妻の言葉から、瀕死の娘は、かつて小文治が捨てた実の娘であったことが分かる。娘は育ての母への感謝を述べつつ、若君のお役に立てぬことを詫びながら息を引き取る。見届けた宗清の妻が、死んだ娘の代わりに、今改めて若君を拾い取り、養育することを願うと、小文治は若君を宗清の妻に託すことを決め、自らの腹に刀を突き立てる。若君は、源氏に縁ある宗清の妻に拾われ、妹の静は、若君と共に討とうと狙っていた義経に想われ、平家に縁ある自分が長らえては、二人の妨げになると悟っての切腹であった。居合わす人々に、若君と妹の行く末を頼み、小文治は息絶える。
[第四]
（淀川辺）93頁5行目～97頁10行目
　主君・義仲の不興を蒙り、蟄居する今井四郎兼平は、父・兼遠の訃報を受けて服喪の最中である。すると、家来の団介が息せき来て、鎌倉より義仲追討の軍勢が押し寄せていると告げる。やがて、飛脚や年寄り、身重の女までが京から逃げ行くのを目にした兼平が、駆け出て様子を尋ねると、人々は、義仲の行方は知れず、兼平は鎌倉に降参したらしいと噂する。兼平はたまらず馬に跨り、主君の先途を見届けんと一散に駆け出す。
（朱雀舞鶴屋）98頁1行目～117頁9行目
　朱雀の舞鶴屋久左衛門は女房さのと共に、義仲追討の騒ぎで客の入りが悪いのを嘆いていた。そこへ、静の妹女郎の泉川を請け出したいと、遠国の客が訪れる。酒宴の後、泉川が今日初めて逢う自分を請け出す真意を尋ねると、客は手塚太郎光盛と名乗り、主君・義仲の横暴に堪え兼ねて鎌倉方の梶原平三景時からの知行を得、その使いとして泉川を請け出しに来たと語る。泉川が、梶原の家来となった証拠を尋ねると、光盛は梶原一統が用いる矢筈の紋を付けた鎧櫃を指し示す。

納得した泉川が「富士太鼓」を舞うと、光盛は静が伝えた「放下僧」も所望する。大事の舞とて人払いした泉川は、舞を舞わぬ内に、光盛の刀が義仲の重代であることを問う。すると光盛は、泉川が巴御前の妹・山吹であると言い当て、鎧櫃の中に隠した義仲の顔を見せる。山吹は、襖の向こうに隠していた身重の巴御前を呼び、義仲と巴は久しぶりの対面を果たす。追手が押し寄せ時の声を上げると、光盛は二人を逃がし、山吹と共に、義仲と巴御前を名乗って敵を引き付け、近江へと落ちてゆく。

[第五]

(宇治川)118頁2行目~124頁2行目

鎌倉方の六万余騎と戦う木曽義仲は、八千余騎の味方を大方討たれ、苦戦していた。伊達、根之井は逃亡、樋口は降参、頼みに思う手塚太郎光盛は討死し、巴と共に道を急ぐ義仲の元に、今井四郎兼平が勇ましく現れる。

義仲の子を宿した巴を落とし、兼平は義仲に切腹を勧める。しかし馬が深田にはまった義仲は、石田兵衛久国の子・次郎為久に遂に首討たれる。兼平はこれを見て、奮戦の後、太刀の切先を口に含み、主君と同じ深田へ飛び込んで自害して果てた。

◎補記

・七行校異本　早稲田大学演劇博物館蔵(ニ10-599)

早稲田大学演劇博物館蔵(ニ10-1736)

以下、本文中で注記が必要と思われる箇所を掲出した。

(頁-行)

13-5　龍蛇の勢ひ(底本では「勢ひ」の部分破損、校異本にて補う。)

39-5　雲井に翻(かける) 其勢ひ(底本では「翻」の字が「飛」と「羽」の合字。)

41-4　列座も漸(底本では「例座」。)

43-10　列座の人々(底本では「例座」。)

46-2　むたいの恋慕(底本では「恋慕」。)

51－9　人倫の道を背く義仲。人倫の道を以は（底本ではいずれも「人論」。）
55－2　おまへは十五わしや十二。（底本では「十二」の「二」の字形不明瞭。）
57－1　都に徘廻。（底本では「俳廻」。）
63－1　そんなら正八幡大菩薩。（底本では「菩薩」が異体字「ささてんぼさつ」。菩薩の意である「ささぼさつ」の右脇下に点を打ち、「菩提」を表する字。ただしここでは文意により「菩薩」とした。）
79－2　歴々の兄弟衆も（底本では「暦々」。）
88－7　貯（たくは）につき（底本ではルビ「たくは」の「は」の字形不明瞭。）
92－6　思ひ過して切。腹ぞや。（底本では「切」の右横にもうひとつ句点「。」あり。手負いの息遣いを示す「き。る。」の意か。）
105－3　奥様さま〳〵。（底本の合字の「さま」を仮名にひらき、「々」を「〳〵」とした。）
106－5　暴悪招過し（底本では「募悪」。）
113－6　合点のの行ぬ。（底本のママ。丁移りの衍字。）

（田草川みずき）

義太夫節人形浄瑠璃上演年表（一七一六‐一七六四）

一、この年表は、享保期から明和元年にかけて初演された義太夫節人形浄瑠璃作品について、上演年月と翻刻状況を中心に示したものである。

一、上演年月と外題は主に『義太夫年表　近世篇』八木書店に拠り、神津武男『浄瑠璃本史研究』八木書店を参照した。

一、同一の興行外題による再演（推定を含む）は、その正本の現存が『義太夫年表　近世篇』等で確認されているものを掲出した。

一、年表の座（所演）欄の略号は以下の通り。備考欄の「＊」は所演に係る注記事項。

豊：大坂豊竹座
竹：大坂竹本座
出：大坂伊藤出羽掾座
明：大坂明石越後掾座
陸：大坂陸竹小和泉座
北：大坂北本和泉座
宇：京宇治座
扇：京扇谷豊前掾座
外：江戸外記座
辰：江戸辰松座
肥：江戸肥前座
土：江戸土佐座
喜：竹本喜世太夫座
未：所演座未詳

一、翻刻欄には、第二次世界大戦後、『義太夫節浄瑠璃未翻刻作品集成』以前に刊行された翻刻書（原則として私家版および紀要等の雑誌に掲載されたものは除く）の有無について、以下の記号で示した。

▼：未翻刻
▲：未翻刻（戦前に翻刻あり）
▽：改題本または再演本で未翻刻（原作は翻刻あり）
×：正本の現存不明

一、翻刻欄または備考欄に記した翻刻書等の略号は以下の通り（丸文字は収録巻）。翻刻書が複数ある場合、近松門左衛門作品は『近松全集』岩波書店を、それ以外は最新刊を掲げた。なお、翻刻の会については、『同志社国文学』同志社大学国文学会に掲載された翻刻の一覧を年表末に付記することとした。

加賀：『古浄瑠璃正本集　加賀掾編』大学堂書店、一九八九～一九九三年
海音：『紀海音全集』清文堂出版、一九七七～一九八〇年
一風：『西沢一風全集』汲古書院、二〇〇二～二〇〇五年
義浄：『竹本義太夫浄瑠璃正本集』大学堂書店、一九九五年
旧全：『日本古典文学全集』小学館、一九七〇～一九七六年
旧大：『日本古典文学大系』岩波書店、一九五七～一九六七年
浄翻：『浄瑠璃正本翻刻集』国立劇場、一九八八年～
真宗：『大系真宗史料　伝記編4　真宗浄瑠璃』法藏館、二〇〇九年
新全：『新編日本古典文学全集』小学館、一九九四～二〇〇二年
新大：『新日本古典文学大系』岩波書店、一九八九～二〇〇五年
叢書：『叢書江戸文庫』国書刊行会、一九八七～二〇〇二年
近松：『近松全集』岩波書店、一九八五～一九九四年
半二：『日本古典全書　近松半二集』朝日新聞社、一九四九年
文流：『錦文流全集』古典文庫、一九八八～一九九一年
未戯：『未翻刻戯曲集』国立劇場、一九六七年～
近世篇：『義太夫年表　近世篇』八木書店、一九七九～一九九〇年
未翻刻：『義太夫節浄瑠璃未翻刻作品集成』玉川大学出版部、二〇〇六年～

年	月	座	外題	翻刻	備考
享保1	1	豊	八幡太郎東初梅	海音⑥	
	1頃	豊	鎌倉三代記	海音④	
	夏頃	豊	新板兵庫築島	海音④	
2	春	豊	傾城国性爺	海音③	
	2	竹	国性爺後日合戦	近松⑩	
	8	竹	鑓の権三重帷子	近松⑩	
	9	豊	照日前都姿	×	
	10以前	豊	八百屋お七	海音③	
	10	喜	八百屋お七恋緋桜	▼	＊江戸
	11	竹	聖徳太子絵伝記	近松⑩	
3	1	竹	山崎与次兵衛寿の門松	近松⑩	
	2	竹	日本振袖始	近松⑩	
	3	喜	八百屋お七恋緋桜付り後日	▼	＊江戸
	7	竹	曽我会稽山	近松⑩	
	8	豊	傾城吉原雀	×	
	10	竹	日蓮上人記	×	
	10	竹	傾城酒呑童子	近松⑩	
	11以前	豊	山椒太夫葭原雀	海音④	
	11	豊	今様賢女手習鑑	×	
	11	竹	博多小女郎波枕	近松⑩	
	12	竹	善光寺御堂供養	近松⑭	
4	1	豊	義経新高館	海音④	
	2	竹	本朝三国志	近松⑪	
	5	豊	神功皇后三韓責	海音⑤	
	8	豊	頼光新跡目論	海音⑤	
	8	竹	平家女護島	近松⑪	
	8	辰	八百屋お七江戸紫	▼	
	10	豊	業平昔物語	▽	『河内通』加賀④の改題
	11	竹	傾城島原蛙合戦	近松⑪	
	この年	豊	笠屋三勝二十五年忌	×	『二十五年忌』海音⑥の別本
	この年	喜	熊野権現烏午王	文流㊦	＊大坂曽根崎芝居
	この年	喜	竜宮東門阿波鳴戸	×	＊大坂曽根崎芝居
5	1	豊	鎮西八郎唐土船	海音⑤	
	3	竹	井筒業平河内通	近松⑪	
	8	竹	双生隅田川	近松⑪	

年	月	座	外題	所収	備考
	9	豊	日本傾城始	海音⑤	
	11	竹	日本武尊吾妻鑑	近松⑪	
	12	竹	心中天の網島	近松⑪	
	この年	竹	河内国姥火	▲	未翻刻二⑬
6	1	豊	三輪丹前能	海音⑤	
	2	竹	津国女夫池	近松⑫	
	5	豊	伏見常盤昔物語	×	
	7	竹	女殺油地獄	近松⑫	
	閏7	豊	呉越軍談	海音⑥	
	8	竹	信州川中島合戦	近松⑫	
	10	豊	富仁親王嵯峨錦	海音⑥	
7	1	竹	唐船噺今国性爺	近松⑫	
	1	豊	大友皇子玉座靴	海音⑥	
	1	辰	重井筒難波染	▽	『心中重井筒』近松⑤の改題 近世篇〈補訂篇〉参照
	3	竹	浦島年代記	近松⑫	
	4	豊	心中二ツ腹帯	海音⑥	
	4	竹	心中宵庚申	近松⑫	
	6	辰	心中二つ腹帯	▽	『心中二ツ腹帯』海音⑥の改題

年	月	座	外題	所収	備考
	9	竹	仏御前扇車	近松⑭	
	11	豊	東山殿室町合戦	海音⑦	
	顔見世	豊	坂上田村麿	海音⑥	近世篇参照
8	1	豊	玄宗皇帝蓬莱鶴	海音⑦	
	1	未	花毛氈二つ腹帯	×	＊江戸 『心中二ツ腹帯』海音⑥の改題
	2	竹	大塔宮曦鎧	近松⑭	
	5	豊	記録曽我玉笄髷	▼	未翻刻二⑭
	7	豊	井筒屋源六恋寒晒	一風④	
	7	豊	傾城無間鐘	海音⑦	
	11	豊	建仁寺供養	一風④	
	11	竹	桜町昔名花	×	
9	1	竹	関八州繋馬	近松⑫	
	2	豊	頼政追善芝	一風④	
	7	竹	諸葛孔明鼎軍談	叢書⑨	
	10	豊	女蝉丸	一風⑤	
	11	竹	右大将鎌倉実記	▲	未翻刻一⑪
10	1	豊	昔米万石通	一風⑤	
	3	豊	南北軍問答	一風⑤	
	5	豊	身替弓張月	一風⑤	

年	月	座	作品	記号	備考
	5	竹	出世握虎稚物語	▲	未翻刻一①
	6	竹	復鳥羽恋塚	▽	『一心五戒魂』義浄㊤の改題
	9	竹	大内裏大友真鳥	叢書⑨	
	10	豊	大仏殿万代石楚	一風⑤	
11	2	豊	曽我錦几帳	▼	未翻刻二⑮
	4	豊	北条時頼記	一風⑥	
	9	竹	伊勢平氏年々鑑	▲	未翻刻一④
12	1以前	外	頼政追善芝	▽	『頼政追善芝』一風④の江戸上演
	1	竹	敵討御未刻太鼓	▲	未翻刻二⑯
	2	豊	清和源氏十五段	▼	未翻刻一⑥
	4	竹	七小町	叢書⑨	
	8	竹	三荘太夫五人嬢	叢書⑨	
	8	豊	摂津国長柄人柱	叢書⑩	
13	2	豊	尊氏将軍二代鑑	▼	未翻刻一⑤
	3	竹	工藤左衛門富士日記	▲	未翻刻一③
	5	豊	南都十三鐘	▼	未翻刻二⑰
	5	竹	加賀国篠原合戦	叢書⑨	

年	月	座	作品	記号	備考
	この頃	豊	頼政扇の芝	▽	『頼政追善芝』一風④の改題
14	1	豊	後三年奥州軍記	叢書⑩	
	2	竹	尼御台由比浜出	▼	未翻刻三㉓
	6	竹	新板大塔宮	×	『大塔宮曦鎧』近松⑭の改題
	8	竹	眉間尺象貢	▲	未翻刻五㊸
	9	豊	藤原秀郷俵系図	▼	未翻刻一②
	11	竹	京土産名所井筒	▼	未翻刻一⑦
15	1	豊	蒲冠者藤戸合戦	▼	未翻刻三㉔
	2以前	竹	梅屋渋浮名色揚	▼	未翻刻二⑱
	2	竹	三浦大助紅梅靮	叢書㊳	
	5	豊	本朝檀特山	▲	未翻刻三㉕
	8	竹	信州姨拾山	▲	未翻刻一⑧
	8	豊	楠正成軍法実録	▼	未翻刻二⑲
	11	竹	須磨都源平躑躅	▲	未翻刻一⑩
16	1	豊	源家七代集	▼	未翻刻二⑳
	4	豊	和泉国浮名溜池	▼	未翻刻二㉑
	6	豊	酒呑童子枕言葉	×	『酒呑童子枕言葉』近松⑥の豊竹座上演
	9	竹	鬼一法眼三略巻	▲	未翻刻一⑨

年	月	座	外題	翻刻	備考
	9以前	豊	殺生石	海音④	
	9以前	豊	忠臣青砥刀	海音⑦	
	9以前	豊	本朝五翠殿	海音④	
	9以前	豊	浄瑠璃古今序	海音④	
	9以前	豊	金平法問諍　忠臣身替物語	▽	『今様かしは木忠臣身替物語』義浄㊤の改題
	10	豊	赤沢山伊東伝記	▼	未翻刻一⑫
17	4	豊	八百屋お七恋緋桜	▽	『八百屋お七』海音③の改題
	4	竹	増補用明天王	▼	未翻刻七(72)
	5	豊	今様傾城反魂香	▼	未翻刻八(73)
	6	竹	伊達染手綱	▽	『丹波与作待夜のこむろぶし』近松⑤の改題
	9	竹	壇浦兜軍記	旧全㊺	
	9	豊	待賢門夜軍	▼	未翻刻四㉝
	10	豊	忠臣金短冊	叢書⑩	
	12	出	前内裏島王城遷	▼	未翻刻七(63)
18	2	豊	お初天神記	▽	『曽根崎心中十三年忌』海音⑦の改題
	4	竹	車還合戦桜	▲	未翻刻三㉖
	4	豊	鎌倉比事青砥銭	▲	未翻刻二㉒

年	月	座	外題	翻刻	備考
	6	竹	景事揃	×	
	7	竹	重井筒容鏡	▽	『心中重井筒』近松⑤の改題
	7	豊	莠伶人吾妻雛形	▼	未翻刻五㊹
19	2	竹	応神天皇八白幡	叢書㊳	
	5以前	辰	伊勢平氏年々鑑	▽	『伊勢平氏年々鑑』未翻刻④の江戸上演
	5以前	辰	傾情山姥都歳玉	▼	未翻刻六(53)
	5以前	辰	西行法師墨染桜	▽	『西行法師墨染桜』文流㊤の江戸上演
	6	豊	曽我昔見台	▼	未翻刻三㉗
	8	豊	那須与一西海硯	叢書⑪	
	10以前	未	**契情我立杣**	▼	＊江戸 未翻刻八(74)
	10	竹	芦屋道満大内鑑	新大(93)	
20	1	竹	元日金歳越	▲	未翻刻三㉘
	2	豊	南蛮鉄後藤目貫	×	写本（八種）が伝存　叢書⑪底本は演博本『南蛮銅後藤目貫』
	5	豊	万屋助六二代禘	▲	未翻刻三㉙
	8	豊	苅萱桑門築紫𨏍	▲	未翻刻四㉞

年	月	座	外題	所収	備考
	9	竹	甲賀三郎窟物語	叢書㊳	
元文1	2	竹	赤松円心緑陣幕	▼	未翻刻五㊺
	2	竹	天神記冥加の松	×	
	3	豊	和田合戦女舞鶴	叢書⑪	
	5	竹	十二段長生島台	×	
	5	竹	敵討襤褸錦	▲	未翻刻六54
	10	竹	猿丸太夫鹿巻毫	叢書㊳	
	この頃	未	今様東二色	▼	＊江戸 未翻刻四㉟
2	1	豊	安倍宗任松浦簦	▲	未翻刻五㊻
	1	竹	御所桜堀川夜討	叢書㊳	
	1	竹	菅丞相冥加松梅	×	『浄瑠璃本史研究』参照
	7	豊	釜渕双級巴	▲	未翻刻四㊱
	10	竹	太政入道兵庫岬	▼	未翻刻五㊼
3	1	竹	行平磯馴松	叢書㊳	
	4	豊	丹生山田青海剣	▲	未翻刻四㊲
	8	竹	小栗判官車街道	叢書㊵	
	10	豊	茜染野中の隠井	▲	未翻刻六56
4	2	豊	奥州秀衡有鬠壻	未戯③	
	4	竹	ひらかな盛衰記	旧大51	未翻刻八75

年	月	座	外題	所収	備考
	8	豊	狭夜衣鴛鴦剣翅	新大93	
5	2	豊	鶊山姫舎松	叢書⑪	
	4	豊	本田義光日本鑑	▲	未翻刻五㊽
	4	竹	今川本領猫魔館	▲	未翻刻八76
	7	竹	将門冠合戦	▲	未翻刻七64
	9	豊	武烈天皇艤	▲	
	11	竹	追善百日曽我	×	
	11	竹	恋八卦柱暦	▽	『大経師昔暦』近松⑨の改題（戦前に翻刻）
寛保1	1	竹	伊豆院宣源氏鏡	▲	未翻刻七65
	3	豊	本朝斑女簑	▼	
	5	竹	新うすゆき物語	新大93	
	5	豊	青梅撰食盛	▼	未翻刻八82
	7	豊	播州皿屋舗	叢書⑪	
	9	豊	田村麿鈴鹿合戦	▼	未翻刻四㊳
2	2	竹	花衣いろは縁起	▼	未翻刻四㊴
	3	豊	百合稚高麗軍記	▼	未翻刻四㊵
	3	肥	石橋山鎧襲	▼	未翻刻四㊶
	4	竹	室町千畳敷	▽	『津国女夫池』近松⑫の改題（戦前に翻刻）

年	月	座	外題	刊本	備考
	7	竹	男作五雁金	叢書㊵	
	8	豊	道成寺現在蛇鱗	叢書㊲	
	9	豊	鎌倉大系図	▼	未翻刻五㊾
3	3	豊	風俗太平記	▼	
	4	竹	入鹿大臣皇都諍	▼	未翻刻六㊺
	5	竹	丹州爺打栗	▼	未翻刻三㉚
	8	豊	久米仙人吉野桜	叢書㊲	
延享1	3	竹	児源氏道中軍記	▼	未翻刻六㊼
	3	肥	義経新含状	▲	未翻刻八⑺⑺ 改題本『後藤伊達幘』が戦前に翻刻
	4	豊	潤色江戸紫	▲	
	9	豊	柿本紀僧正旭車	▼	未翻刻七⑹⑹
	11	竹	ひらかな盛衰記	▽	近世篇参照
	11	竹	八曲筐掛絵	▼	未翻刻七⑺⑵
	12	豊	遊君衣紋鑑	▼	未翻刻六㊽
2	1	明	三軍桔梗原	▼	
	2	竹	軍法富士見西行	叢書㊵	
	2	豊	詩近江八景	▼	未翻刻八⑺⑻
	3	未	萬葉女阿漕	×	写本（一種）が伝存 未翻刻七⑹⑺

年	月	座	外題	刊本	備考
	4	明	延喜帝秘曲琵琶	▼	
	5	豊	増補大仏殿獻礎	▼	未翻刻六㊾
	7	竹	夏祭浪花鑑	旧大㊿	
	8	豊	浦島太郎倭物語	▼	未翻刻八⑺⑼
	閏12	陸	唐金茂衛門東髪	▼	
3	1	竹	楠昔噺	叢書㊵	
	5	竹	追善仏御前	×	『仏御前扇車』近松⑭の改題
	5	竹	追善重井筒	▽	『心中重井筒』近松⑤の改題
	5	豊	酒呑童子出生記	▼	未翻刻五㊿
	7以前	竹	博田小女郎思[氵+枕]	▽	『博多小女郎波枕』近松⑩の改題
	8	陸	歌枕棣棠花合戦	▼	未翻刻七⑹⑻
	8	竹	菅原伝授手習鑑	旧全㊼	
	10	陸	女舞剣紅楓	▼	未翻刻六⑹⓪
	11	豊	花筏巌流島	▼	未翻刻八⑻⓪
4	2	豊	裙重紅梅服	▼	
	2	陸	鎮西八郎射往来	▼	
	2以降	陸	氷室地大内軍記	×	
	3	豊	万戸将軍唐日記	▼	

年	月	座	作品	翻刻	備考
	7	豊	悪源太平治合戦	▼	
	8	竹	傾城枕軍談	▼	未翻刻三㉛
	10	肥	いろは日蓮記	▼	未翻刻四㊷
	11	竹	義経千本桜	新大(93)	
寛延1	1	豊	容競出入湊	未戯⑫	
	7	豊	東鑑御狩巻	▼	未翻刻七(69)
	8	竹	仮名手本忠臣蔵	新全(77)	
	9	宇	住吉誕生石	▼	
	11	豊	摂州渡辺橋供養	叢書㊲	
2	3	豊	八重霞浪花浜荻	浄翻①	
	4	竹	粟島譜嫁入雛形	▼	未翻刻五(51)
	7	辰	粟島譜利生雛形	×	『粟島譜嫁入雛形』未翻刻(51)の改題
	7	豊	華和讃新羅源氏	真宗	
	7	豊	なには五節句操 大踊	×	
	7	竹	双蝶蝶曲輪日記	新全(77)	
	10	肥	日蓮記児硯	▽	『いろは日蓮記』未翻刻㊷の改題
	11	豊	物ぐさ太郎	▼	未翻刻五(52)
	11	竹	源平布引滝	旧大(52)	未翻刻八(81)

年	月	座	作品	翻刻	備考
3	3	豊	手向八重桜	浄翻①	
	6	豊	夏楓連理枕	▼	
	8	肥	新板累物語	▼	未翻刻六(61)
	8頃	豊	傾城買指南	▼	未翻刻八(82) 『浄瑠璃本史研究』参照
	11	竹	文武世継梅	▼	未翻刻六(62)
宝暦1	1	豊	玉藻前曦袂	▼	未翻刻七(70)
	2	竹	恋女房染分手綱	▼	未翻刻七(71)
	4	豊	浪花文章夕霧塚	▼	
	7	竹	仕合丸浪花入船	×	
	7	豊	頼政扇子芝	▽	『頼政追善芝』一風④の改題
	8	肥	八幡太郎東海硯	▼	
	10	豊	日蓮聖人御法海	未戯⑩	
	10	竹	役行者大峰桜	叢書⑭	
	12	豊	一谷嫩軍記	▲	未翻刻三(32)
	この頃	肥	親鸞聖人絵伝記	×	
2	2	竹	名筆傾城鑑	▼	
	5	竹	世話言漢楚軍談	▼	
	7	肥	太平記枕言	▼	

年	月	座	作品	記号	備考
	11	竹	伊達錦五十四郡	▼	
	12	豊	倭仮名在原系図	▼	
3	5	竹	愛護稚名歌勝鬨	叢書⑭	
	7	豊	雄結勘助島	▼	
4	1	竹	菖蒲前操弦	▲	
	2	豊	相馬太郎孶文談	▼	
	4	竹	小袖組貫練門平	▼	
	7	豊	義経腰越状	▼	
	10以前	竹	太平記曦鎧	▽	＊京『大塔宮曦鎧』近松⑭の改題
	10	竹	小野道風青柳硯	叢書⑭	
	10頃	竹	恋女房染分手綱	▽	＊京
	12	豊	天智天皇苅穂庵	▼	
5	4	豊	三国小女郎曙桜	▼	
	6	竹	庭涼座鋪操	▼	
	7	豊	双扇長柄松	▼	
	7	竹	庭涼操座鋪	▼	
	11	竹	拍子扇浄瑠璃合	▼	
	11	竹	年忘座鋪操	▼	
6	2	竹	崇徳院讃岐伝記	▼	
	3	豊	義仲勲功記	▼	
	5	竹	業平男今様井筒	▽	＊京『京土産名所井筒』未翻刻⑦の改題
	10	竹	平惟茂凱陣紅葉	▼	
	閏10	豊	甲斐源氏桜軍配	▼	
	この年	豊	和田合戦女舞鶴	▽	近世篇参照
7	1	豊	写傾足利染	▼	
	2	竹	姫小松子の日遊	▼	
	3	豊	前九年奥州合戦	▼	
	7	肥	泉三郎伊達目貫	▼	
	9	竹	薩摩歌妓鑑	▼	
	12	豊	祇園祭礼信仰記	叢書㊲	
	12	竹	昔男春日野小町	▼	
8	3	竹	敵討崇禅寺馬場	▼	
	8	肥	聖徳太子職人鑑	▼	
	8	竹	蛭小島武勇問答	▼	
9	2	竹	日高川入相花王	未戯⑦	
	3	豊	芽源氏鶯塚	▼	
	5	豊	難波丸金鶏	▲	
	9	竹	太平記菊水之巻	叢書⑭	

年	月	座	外題	記号	備考
	10	竹	楠正行軍略之巻	×	＊京『太平記菊水之巻』叢書⑭の改題
	12	豊	先陣浮洲巌	▼	
10	3	豊	桜姫賤姫桜	▼	
	7	竹	極彩色娘扇	▼	
	11	竹	年忘座舗操	×	＊大坂曽根崎新地芝居
	12	豊	祇園女御九重錦	叢書㊲	
11	1以前	竹	浪花土産年玉操	×	＊京
	1	竹	安倍清明倭言葉	▼	
	3	豊	八重霞浪花浜荻	▽	＊大坂曽根崎新地芝居　近世篇参照
	5	竹	由良湊千軒長者	▼	
	5	豊	曽根崎模様	▼	＊大坂曽根崎新地芝居
	9	豊	人丸万歳台	▼	
	9頃	豊	下総国累蠢	×	近世篇〈補訂篇〉参照
	10	竹	冬籠難波梅	×	
	11	竹	古戦場鐘懸の松	▼	
12	2	豊	三好長慶礎軍談	▼	
	3	竹	花系図都鑑	▼	
	閏4	豊	岸姫松轡鑑	▼	

年	月	座	外題	記号	備考
	6	竹	夏景色浄瑠璃合	×	
	夏	未	忠臣五枚兜	×	写本（一種）が伝存『浄瑠璃本史研究』参照
	9	竹	奥州安達原	半二	
13	3	豊	洛陽瓢念仏	▼	
	4	竹	山城の国畜生塚	叢書⑭	
	4	竹	天竺徳兵衛郷鏡	未戯⑤	
	4	豊	新舞台咲分牡丹	▼	
	7	豊	新舞台扇子錦木	▼	『浄瑠璃本史研究』参照
	8	竹	御前懸浄瑠璃相撲	×	
	12	豊	馬場忠太紅梅箙	▼	
	宝暦年中	竹	あづま摂恋山崎	×	
	宝暦年中	竹	天神記恵松	▽	『天神記』近松⑧の改題
	宝暦末頃	未	鉐石川五右衛門	×	＊京『浄瑠璃本史研究』参照
明和1	1	土	吉野合戦名香兜	▼	
	1	北	須磨内裏甥弓勢	▼	
	1	竹	傾城阿古屋の松	▼	
	3	外	増補姫小松子日の遊四段目	▼	『浄瑠璃本史研究』参照
	4	豊	官軍一統志	▼	

月	座	外題	印	備考
4	肥	祇園祭金閣寺小袖之鏡	×	
4	竹	京羽二重娘気質	▲	
夏	肥	乱菊枕慈童	×	『浄瑠璃本史研究』参照
7	竹	敵討稚物語	▲	
8	外	明月名残の見台	×	
8	扇	増補女舞剣紅葉	▼	
9	外	菊重藨月見	×	
10	豊	嬢景清八島日記	▼	近世篇参照
11	豊	二ツ腹帯	▽	近世篇〈補訂篇〉参照
11	竹	江戸桜愛敬曽我	×	
12	竹	冬桜咲分錦	×	近世篇〈補訂篇〉参照
12	豊	いろは歌義臣鍪	▲	

（義太夫節正本刊行会）

［付記］翻刻の会（同志社大学）による翻刻一覧

享保13　尊氏将軍二代鑑　『同志社国文学』五七・六〇・六二
元文5　武烈天皇艤　『同志社国文学』六四・六六
寛保1　本朝斑女簑　『同志社国文学』四〇
寛保3　風俗太平記　『同志社国文学』三七
延享1　潤色江戸紫　『同志社国文学』九二・九三
延享4　悪源太平治合戦　『同志社国文学』七〇・七五
宝暦2　名筆傾城鑑　『同志社国文学』四五・四六
宝暦8　聖徳太子職人鑑　『同志社国文学』九六・九八
宝暦11　曽根崎模様　『同志社国文学』四一・四三
明和5　よみ売三巴　『同志社国文学』八二
明和6　振袖天神記　『同志社国文学』八八・九〇
寛政9　会稽多賀誉　『同志社国文学』七四・七七

義太夫節正本刊行会

飯島　満	伊藤りさ	上野左絵	川口節子
黒石陽子	坂本清恵	桜井　弘	髙井詩穂
田草川みずき*	富澤美智子	原田真澄	東　晴美
渕田裕介	森　貴志	山之内英明	

（*は本巻担当者）

義太夫節浄瑠璃未翻刻作品集成（第8期）74
契情我立杣

2025年2月25日　初版第1刷発行

編者 ———— 義太夫節正本刊行会
発行者 ———— 小原芳明
発行所 ———— 玉川大学出版部
〒194-8610 東京都町田市玉川学園 6-1-1
TEL 042-739-8935　FAX 042-739-8940
http://www.tamagawa.jp/up/
振替 00180-7-26665
装丁 ———— 松田洋一（原案）・しまうまデザイン
印刷・製本 ———— 創栄図書印刷株式会社

ISBN978-4-472-01696-7 C1091 / NDC912